D0244849

Le KRACH démy$tifié

Louise Courteau, éditrice inc.
C.P. 636
Verdun, Qc.
H4G 3G6

Tél.: (514) 761-7849

ISBN : 2-89239-059-1

Dépôt légal : dernier trimestre 1987
Bibliothèque nationale du Québec
Bibliothèque nationale du Canada

ISBN : 2-89239-059-1

Ruben J. Dunn

Le KRACH démy$tifié

Louise Courteau
éditrice

Table des matières

Les cycles économiques

Les tensions

La récession

La reprise

L'expansion

Avenir et incertitude

Les cycles économiques

1. 19 octobre 1987

19 octobre 1987. Le krach! La panique s'empare des investisseurs boursiers. Une seule idée les obsède tous au même moment, vendre. Et à n'importe quel prix. En moins d'une journée, le Dow-Jones, baromètre mondial des places boursières, chute de 508 points. Un record absolu de tous les temps. Une perte colossale de 22,6% en quelques heures. Le lundi noir est entré dans l'histoire!

Est-ce le début de la fin du monde? Pas du tout! En réalité, cette très sévère correction boursière ne fait qu'imiter l'histoire. Les marchés financiers n'en sont pas à leur premier revers majeur. Le terme krach est d'ailleurs entré dans le langage financier moderne il y a plus d'un siècle, le 9 mai 1873, lors d'une spectaculaire baisse des cours à la bourse de Vienne. C'était le *vendredi noir*.

Nous connaissons également le terrible mois d'octobre 1929 qui déclencha l'une des pires dépressions économiques de l'histoire moderne. A ces dates les plus connues, nous pourrions en greffer plusieurs autres qui correspondent à des reculs très importants des marchés boursiers. Le récent krach ne constitue donc pas un événement inédit. Alors, pourquoi en parler autant? S'alarme-t-on inutilement? Oui et non.

Regardons d'abord les conséquences immédiates de l'événement. La forte baisse du 19 octobre vient s'ajouter à d'autres reculs du Dow-Jones durant les jours précédents: 108 points le 16 octobre, 95 points le 14 et 91 points le 6 du même mois. En tout, depuis le sommet de 2 722 atteint quelques mois plus tôt, le bilan se solde par une baisse de 36%. En pratique, cela signifie que les investisseurs qui détenaient les titres boursiers représentatifs du Dow-Jones ont vu la valeur de leur portefeuille fondre de plus du tiers. Au total, cela représente des centaines de milliards de dollars perdus par les grands fonds de placement et par les investisseurs individuels.

Et au Québec? La situation est pire! Car ici, la majorité des petits investisseurs ont placé leurs avoirs dans les titres de compagnies encore plus fragiles que les 30 immenses multinationales qui composent l'indice Dow-Jones. Et aussi parce que leurs actions ont entrepris le plongeon avant les autres, dès le mois d'avril, pour s'accentuer durant la débâcle d'octobre.

Qu'une société d'investissements voie ses actifs fondre de 10 à 6 milliards$ en quelques mois, c'est désolant. Mais cela amène rarement des conséquences dramatiques sur la vie familiale des individus qui la composent. Le portefeuille de leur institution a suivi la tendance générale des marchés. Il suffit maintenant qu'ils adoptent une stratégie appropriée à ce genre de situation et qu'ils attendent patiemment que le vent tourne.

Pour un petit investisseur, les choses ne se présentent pas de la même façon. Il a parfois investi toute son épargne, contracté des dettes, hypothéqué sa maison. Ses placements ne bénéficiant pas des conseils de nombreux spécialistes, comme dans les grandes institutions, il a souvent pris des risques insensés. Il se retrouve aujourd'hui endetté, désabusé, avec le goût amer d'avoir été joué par les pseudo-conseillers qui le sollicitaient habilement.

Et maintenant, que doit-il faire? Se retirer du marché? Non! Profiter de la faiblesse des cours et engouffrer de nouveaux fonds? Non plus! Les mal est fait, rien ne sert de l'empirer. Dans l'immédiat, il faut attendre. Accepter le revers momentané. Et surtout, il faut apprendre. Apprendre à se débrouiller dans l'inévitable période d'incertitude qui suit les krachs boursiers. Apprendre à se prémunir contre de nouveaux soubresauts de l'économie.

Comment? De plusieurs manières. Il faut d'abord apprendre le jargon de la finance. Connaître les divers types de placements, leurs avantages et leurs risques. Il faut ensuite suivre l'actualité. Lire les journaux financiers, écouter les spécialistes, analyser leurs conseils, comparer leurs propos. Finalement, le plus important, l'investisseur doit comprendre l'économie. Que signifient exactement les termes utilisés couramment par les médias d'information, *inflation, chômage, taux de change, récession, balance commerciale, déficit...*

Faut-il pour cela devenir économiste ou spécialiste de la haute finance? Aucunement. Les grandes tendances qui animent nos économies modernes sont simples et à la portée de chacun. Ce livre veut contribuer un peu à leur compréhension.

Le Krach démystifié constitue un ouvrage de vulgarisation. Il s'adresse aux personnes curieuses de connaître la nature d'un krach boursier, ses causes et ses conséquences possibles sur la vie des gens. Pour atteindre cet objectif, nous allons étudier ensemble les grands rouages de l'économie. Partout, nous illustrerons nos propos d'exemples de la vie courante, mais sans entrer dans les moindres détails de la mécanique financière. Le lecteur avide d'en savoir plus pourra se référer aux ouvrages proposés dans la bibliographie à la fin du livre ou même s'inscrire à quelques cours d'initiation à l'économie. Auxquels cas, ce livre aura atteint son but.

2. La rareté et l'abondance

Dans le premier chapitre, nous avons parlé abondamment de deux notions, l'économie et la finance. Voyons un peu ce qu'elles signifient.

Au sens le plus général, l'économie est la science de la satisfaction des besoins humains. Ceux-ci, nous le savons, sont très nombreux: besoins de se nourrir, de se vêtir, de se récréer, de guerroyer, de s'enrichir ... En fait, il n'existe pas de limites aux besoins d'une société et des individus qui la composent. Dès qu'un besoin se trouve satisfait en partie, l'on s'empresse d'accroître ses exigences relatives à ce besoin. Et si, événement rare, un besoin se trouve entièrement satisfait, on l'oublie aussitôt pour le remplacer par un autre désir encore plus difficile à réaliser. D'où l'expression populaire *les gens ne sont jamais contents!*

De quoi dispose une société pour répondre aux besoins individuels ou collectifs de ses membres? Bien sûr, de ressources. C'est-à-dire d'un ensemble de richesses humaines, financières et matérielles. Celles-ci, contrairement aux besoins, ne se retrouvent qu'en quantité limitée. A tel point, qu'une ressource surabondante ne trouve pas de place en économie. Qui voudrait faire le commerce d'un bien que chacun peut se procurer sans efforts? Mais au fait, mis à part l'air que nous respirons, existe-t-il beaucoup de ressources disponibles à profusion? Même l'eau, qui fut jadis un bien négligé à cause de son abondance, devient aujourd'hui l'objet d'un commerce florissant. Et au rythme où se développe la pollution athmosphérique, l'air se négociera bientôt de la même manière. En fin de compte, bien peu de ressources échappent au phénomène de la rareté.

Nous trouvons donc l'abondance du côté des besoins, et la rareté du côté des ressources. D'où la nécessité absolue d'un mécanisme pour faire l'équilibre entre les deux. Cette énorme machine servant à ajuster les ressources aux besoins, s'appelle l'économie. Elle comprend tous les systèmes de production, de circulation, de répartition et de consommation.

Prenons un exemple simple, le besoin de se nourrir, et utilisons les termes propres à la science économique. D'une part, l'ensemble des besoins de nourriture exprimés par une société s'appelle la ***demande*** de produits alimentaires. D'autre part, l'appareil qui satisfait cette demande constitue ***l'offre*** de produits alimentaires. Les richesses naturelles permettant de préparer la nourriture se nomment les ***ressources*** alimentaires. Tous les équipements servant à produire la mangeaille forment l'appareil de ***production***. Les produits qui sortent des usines sont mis en ***circulation*** à travers un réseau de ***distribution***. La monnaie sert de moyen de ***répartition*** pour finalement permettre la ***consommation***.

Et voilà! Il suffit d'additionner ensemble l'offre et

la demande dans tous les domaines pour obtenir une économie moderne. L'économie constitue donc un vaste marché d'échange où les individus sont à la fois offreurs et demandeurs. D'une part, ils offrent leurs efforts, leur travail et leurs idées. D'autre part, ils demandent aux autres un certain nombre de produits.

Lorsque le produit servant à satisfaire un besoin est tangible, nous parlons d'un *bien*, comme dans le cas du pain (bien non durable) ou d'un meuble (bien durable); s'il est immatériel, nous parlons plutôt d'un *service*, comme la coiffure (service privé) ou le téléphone (service public).

Pour mesurer les efforts de chacun et faciliter les échanges, les sociétés se sont donné un moyen, la monnaie. Celle-ci favorise la spécialisation des individus dans le domaine où ils sont plus productifs, tout en leur permettant l'accès à une gamme très diversifiée de produits et de services.

Par monnaie, nous entendons toute façon de régler une transaction entre divers intervenants économiques: pièces métalliques, billets de banque, chèques, dépôts, crédits, etc. L'ensemble de ces moyens et les règles qui les régissent constituent la partie de la science économique appelée la finance. Elle comprend les finances de l'État, le système bancaire, les finances individuelles, les sociétés de crédit, la bourse ... Bref, tout ce qui s'appelle argent.

3. Les lois de l'économie

Maintenant que nous savons qu'une économie se compose d'une multitude de demandeurs et d'offreurs échangeant des biens et services par le truchement de la monnaie, nous pouvons nous poser la question toute simple: comment cela fonctionne-t-il ? Qui décide de produire quoi? Comment se fixent les prix?

A première vue, la réponse peut paraître complexe. En effet, des millions d'intervenants animent une économie moderne. Des milliers d'institutions, d'entreprises, d'organismes, de groupes et de sous-groupes, chacun avec ses objectifs et ses règles propres. Comment s'y retrouver?

Il existe pourtant un comportement commun à tous les intervenants dans une économie de libre entreprise: chacun cherche à obtenir le maximum en contrepartie des efforts qu'il consent.

Vérifions un peu. Un travailleur ne cherche-t-il pas toujours à augmenter le salaire de son travail? Un vendeur ne vise-t-il pas à recevoir le prix le plus élevé contre ses produits? Un chef d'entreprise ne poursuit-il pas des profits toujours plus abondants? Evidemment!

Nous avons donc une première loi économique

fondamentale, celle de la maximisation du profit. Cette loi constitue le moteur de tout notre système économique. Tout le monde veut s'enrichir! Cela explique pourquoi les gens travaillent plus et mieux et pourquoi les entreprises offrent toujours plus de biens et de services.

Ajoutons maintenant une seconde loi qui se formule ainsi: plus un bien ou un service recherché devient rare, plus son prix tend à augmenter; inversement, l'abondance pousse les prix vers le bas. Il s'agit de la loi de l'offre et de la demande.

Voyons un peu son application avec un phénomène que nous connaissons bien, les produits de la terre. Lorsque la nature se montre généreuse et que la récolte se révèle abondante, les prix des fruits et légumes ont tendance à fléchir car l'offre réussit à satisfaire les besoins de tous les consommateurs. Par contre, durant les mauvaises années, les prix montent en flèche à cause de la rareté de ces produits. Le même phénomène s'observe à l'intérieur d'une année, avec le mouvement des saisons: hausses des prix à l'hiver et baisses à l'été.

Il en va de même pour tous les autres produits qui s'offrent à nous. Lorsque les constructeurs d'automobiles se retrouvent avec un surplus de production, ils consentent des rabais afin d'écouler leur stock. Ils profitent par ailleurs des situations de très forte demande pour appliquer des hausses de prix appréciables.

Donc, deux lois, celle de la maximisation du profit et celle de l'offre et de la demande. Est-ce tout? A peu près! Nous avons suffisamment de bagage théorique pour expliquer sommairement n'importe quel événement économique majeur, dont le **krach d'octobre 1987**.

Il faut cependant assortir cette affirmation audacieuse d'une réserve importante. Contrairement aux sciences dites exactes, telles que la physique ou les mathématiques, l'économie se voit qualifiée de science sociale ou humaine. Cela signifie qu'elle traite du comportement collectif des individus. Or, qu'y a-t-il de plus inconstant et de plus irrationnel qu'une foule? Absolument rien!

Cette constatation ne remet pas en cause nos deux lois fondamentales. Mais elle ouvre la porte à des exceptions ou à des ... anomalies dans leur application. Globalement, et sur une longue période, les gens et les institutions d'une société se comportent de manière à maximiser leur profit et à faire jouer les mécanismes de l'offre et de la demande.

Mais à court terme, il arrive que les intervenants économiques adoptent des attitudes apparamment contradictoires. Qui nous dit que l'on voudra acheter un bien qui devient tout à coup abondant et dont le prix fléchit? Il se peut que les consommateurs, habitués de s'en priver, préfèrent attendre un prix beaucoup plus bas avant de se décider. Ou qu'ils souhaitent obtenir l'assurance d'un approvisionnement continu.

De leur côté, les producteurs peuvent hésiter à produire des biens coûteux sans avoir la certitude qu'ils pourront les écouler sur les marchés. Et puis, les gens ne partagent pas tous la même notion de l'honnêteté. Certains utiliseront tous les moyens pour créer une rareté apparente ou pour profiter d'une situation privilégiée de producteur unique.

En fin de compte, il existe des milliers de raisons qui font qu'à un moment donné, la somme des actions individuelles ne correspond pas toujours à ce que l'on pourrait attendre. Mais cela ne dure jamais très longtemps. Tôt ou tard, la logique globale reprend le dessus.

Cependant, les retards engendrés par toutes ces anomalies créent des effets de pendule assez prononcés dans nos économies. A une année donnée, les consommateurs deviennent tout à coup optimistes. Ils se sentent riches et ils achètent, peu importe le prix. L'année suivante, par contre, ils prennent peur. Les épargnes augmentent et la consommation diminue. L'un des grands rôles du gouvernement d'un pays consiste justement, par le jeu des outils à sa disposition, à tenter d'atténuer ces vagues successives d'optimisme et de pessimisme collectif. Réussissent-ils? Pas tout à fait, comme nous l'avons appris tout récemment.

4. Un exemple frappant

Un krach boursier constitue l'un des plus spectaculaires exemples de l'effet de pendule et de l'application des deux grandes lois économiques dont nous venons de parler. Regardons-le d'abord globalement. Ensuite, nous pourrons l'analyser plus en détail, tout en expliquant les rouages détaillés du monde économique et financier.

Durant la période 1984-1986, les investisseurs acquièrent la certitude que l'économie recouvre sa santé des bonnes années. Mûs par l'espoir de réaliser des profits importants, ils déplacent graduellement leurs épargnes vers les marchés boursiers, prometteurs de rendements plus élevés que les comptes d'épargne et les placements obligataires.

De bonnes nouvelles économiques alliées à des politiques gouvernementales adéquates viennent leur donner raison. Les bénéfices des compagnies s'accroissent et attirent d'autres investisseurs vers le marché des actions. Peu à peu, le mouvement s'accentue. Mais les plus prudents hésitent. Ils retardent leur décision. A tort! Le marché poursuit sa hausse et confirme le jugement des plus audacieux.

En 1987, le pendule achève sa course dans une direction et s'apprête à basculer de l'autre côté. Plus personne ne résiste. La raison chavire. Il faut acheter. N'importe quoi! A n'importe quel prix! Plus on achète, plus les prix grimpent. Mais cela importe peu, les profits suivront bien. A la mi-année, la frénésie s'empare des derniers récalcitrants. Ils viennent prendre la relève des premiers arrivés qui eux, commencent à sortir.

Pourtant, les avertissements pleuvent. *Le marché est surévalué. Soyez prudents. Rappelez-vous 1929.* Rien ne peut les arrêter. Rien ... sauf un krach! Le 19 octobre, à partir d'un signal venu d'on ne sait où, la panique s'empare des investisseurs. Ils cherchent en vain les nouveaux acheteurs qui refusent de se présenter. Les prix, enflés avec patience au cours des dernières années s'affaissent en un seul jour. De manière brusque et démesurée. Le pendule revient. Où s'arrêtera-t-il dans l'autre direction?

Voilà l'anatomie d'un krach. On y retrouve tous les éléments fondamentaux de l'économie. Des intervenants nombreux: investisseurs, gouvernements, capitaux étrangers, institutions financières. Un marché d'échange: la Bourse. Un bien financier: les actions. La loi de la maximisation du profit: l'appât du gain. La loi de l'offre et de la demande: des prix qui se gonflent et se dégonflent selon la rareté et l'abondance. De grands mouvements délirants: l'alternance des périodes d'optimisme et de pessimisme.

Etait-ce prévisible? Oui! Pourquoi? Parce qu'à peu de chose près, ce mouvement se répète à intervalles réguliers depuis plus d'un siècle. Mais pas toujours avec la même amplitude. Ce mouvement correspond à un cycle économique moyen. Celui que nous venons de vivre a commencé vers les années quatre-vingt. Il tire peut-être à sa fin.

Ensemble, nous allons vivre ce cycle pas à pas dans chacune de ses phases principales. Nous aurons ainsi l'occasion de raffiner nos connaissances économiques et de faire intervenir de nouveaux joueurs, dont les gouvernements et les pays étrangers.

Parallèment au cycle économique, nous allons également suivre le cycle boursier qui l'accompagne inévitablement. Nous pourrons ainsi nous familiariser avec le monde de la bourse et avec les divers modes de placements qui s'offrent aux investisseurs que nous sommes.

A la fin, nous ferons le point sur le marché boursier actuel et nous proposerons une stratégie de placement prudente, mais prometteuse d'un rendement adéquat en toutes circonstances.

5. Les déséquilibres cycliques

Commençons donc avec les cycles économiques. D'où viennent-ils? Pour les comprendre, il faut donc nous pencher sur la nature profonde des individus. Or, à quoi aspirent les hommes et les femmes qui nous entourent? Tous, sans exception, cherchent à accroître leur bonheur matériel ou spirituel. Ils vivent donc d'espoir, de crainte et de passion. Espoir qui engendre l'optimisme. Crainte qui provoque le pessimisme. Passion qui accentue les deux sentiments précédents.

Analysons les conséquences pratiques de ces traits humains en nous situant d'abord dans une période économique saine. Tout va bien: peu de chômage; salaires en progression; production, ventes et profits élevés; prix stables. Ni guerre ni autre menace extérieure ne viennent briser le bonheur du moment.

Que se passe-t-il alors? Graduellement, l'optimisme envahit les offreurs et les demandeurs. D'une part, les industriels investissent de nouveaux capitaux pour produire plus de biens et de services et ainsi accroître leurs profits. D'autre part, les consommateurs, voyant leurs revenus augmenter, achètent de plus en plus de produits pour satisfaire leurs besoins illimités. L'offre et la demande progressent alternativement, en spirale, vers un équilibre toujours plus élevé. On dit que l'économie traverse une phase d'expansion.

La poursuite de cet équilibre entre l'offre et la demande rencontre cependant des obstacles inévitables. Enflammés par la passion, les consommateurs se laissent entraîner à des dépenses exagérées. Les producteurs, ne pouvant absorber rapidement ce surcroît de demande, se lancent à leur tour dans des investissements majeurs qui se heurtent à la rareté des ressources disponibles. Les emprunts augmentent et l'épargne diminue. L'offre ne réussit plus à rattraper la demande. La machine économique ne répond plus à la spirale de l'ambition. L'économie entre alors en phase de tension.

Lorsqu'ils se sont bien endettés, les consommateurs réalisent péniblement, et avec leur habituelle passion, que leur crédit arrive à la limite. Qu'il faudra bien payer un jour. Un climat de crainte commence alors à s'installer. L'on retarde les achats et la demande fléchit.

Mais l'offre continue de s'accroître, alimentée par les investissements récents que les gens d'affaires regrettent déjà. Les stocks s'accumulent et les prix baissent; il faut liquider à rabais les inventaires qui continuent de gonfler. Mais comment vendre à des clients qui n'ont plus d'argent? Comment les convaincre d'emprunter toujours plus alors que les usines menacent de fermer, faute d'acheteurs pour leurs produits? L'offre excède la demande, la production tend à fléchir. L'économie traverse une phase de récession.

La récession dure jusqu'au retour de la confiance. Le temps que le chômage et la misère viennent assagir les joueurs économiques et que la prudence reprenne ses droits. Le temps que les inventaires s'épuisent, que les dettes se remboursent et que l'économie refroidisse. Un an, deux ans, cinq ans? La guérison varie selon l'ampleur de la blessure. Mais tôt ou tard, l'équilibre se rétablit entre l'offre et la demande. Un léger vent d'optimisme souffle à nouveau. Et arrive la reprise qui relance timidement la demande. La machine est repartie pour un nouveau cycle.

Ces cycles suivent tous les mêmes phases, expansion, tension, récession et reprise. Leur durée respective varie cependant beaucoup: à très long terme (cycles de Kondratieff de 50 à 60 ans); à moyen terme (cycles de Juglar de 6 à 10 ans); à court terme (cycles de Kitchine d'environ 40 mois).

Les cycles les plus courants sont ceux de Juglar, aussi appelés cycles majeurs. On les observe depuis près de deux siècles. Leur durée moyenne s'établit à 8 années. Mais leur amplitude varie considérablement, de telle sorte que la phase de récession se voit parfois qualifiée de dépression profonde, comme dans les années trente, alors que celle d'expansion se traduit souvent en boom économique.

Nous allons donc entreprendre l'étude du cycle majeur que vit l'économie canadienne depuis le début des années quatre-vingt. Il se divise selon nos quatre phases caractéristiques:

- point culminant de la tension en 1981;
- récession en 1982;
- reprise en 1983;
- expansion depuis 1984.

Les tensions

6. La mesure de l'économie

Pour savoir où nous en sommes dans les phases d'un cycle économique, on doit d'abord pouvoir le mesurer. Comment s'y prendre? Prenons un exemple simple. Vous possédez une petite usine et vous désirez en connaître la valeur. Comment faire? Vous évaluez d'abord l'ensemble des éléments qui la composent: un terrain, une bâtisse, des équipements de production, du personnel, du mobilier ... Combien en tout? Impossible de le dire sans utiliser une mesure commune à chaque chose.

Vous décidez donc de transformer votre inventaire en dollars. Vous obtiendrez ainsi la valeur totale de votre bien. Mais comment quantifier la valeur de certaines composantes difficilement traduisibles en prix? Que vaut un employé expérimenté? Un terrain bien paysagé? Un clientèle importante? Vous limitez donc votre évaluation aux biens physiques et matériels qui servent à la production de vos produits.

Il en va de même pour l'économie d'un pays. L'addition de tous les éléments servant à la production constitue le capital national. Celui-ci exclut les composantes immatérielles comme la population, sa culture et ses aptitudes, ainsi que les ressources naturelles comme le sol, la forêt et le sous-sol.

Mais à quoi sert ce type de mesure? Donne-t-il vraiment la valeur de votre usine ou d'une économie? En réalité, il importe bien plus de savoir à quoi peuvent servir les équipements représentés par cette valeur. Sont-ils en bon état? Bien administrés? En résumé, que peuvent-ils produire au cours d'une période donnée, disons une année? Voilà une mesure bien plus utile. Et qui tient compte du capital humain. De son ingéniosité, de son expérience, ainsi que de l'efficacité réelle des équipements matériels.

Cette même logique s'applique à l'économie nationale que l'on mesure par son produit intérieur brut (PIB), c'est-à-dire par la somme, exprimée en dollars, de tous les biens et services produits sur son territoire au cours d'une année.

Cette mesure n'est pas parfaite. Elle ne tient pas compte, par exemple, du travail accompli par les individus non rémunérés, comme les personnes qui s'occupent du foyer et des enfants. Elle n'inclut pas non plus les loisirs, ni le travail intellectuel. Mais le PIB demeure le meilleur reflet de la richesse et de la puissance d'un pays. Sa comparaison, d'une année ou d'un trimestre à l'autre, permet de mesurer la progression de l'économie.

Le PIB étant une mesure très globale, il peut se décomposer en éléments qui révèlent l'évolution de certains segments particuliers de l'économie. On mesure ainsi la valeur de la construction des immeubles résidentiels, des usines, des édifices à bureaux. On calcule aussi le volume du commerce de détail, la valeur des services personnels ou socio-culturels rendus aux membres de la société, tels que les soins médicaux ou les services bancaires. On peut également évaluer la production de chacune des branches industrielles: automobile, mines, aliments et boissons, pâtes et papiers, etc. Bref, la comptabilité nationale peut se subdiviser à l'infini, de façon à refléter le dynamisme particulier de chacune des composantes d'une économie complexe.

Il existe également plusieurs autres mesures appelées indicateurs économiques, permettant de connaître la santé de la nation. Mentionnons les principaux. D'abord, les statistiques de l'emploi. Elles mesurent la population active, c'est-à-dire le nombre de personnes aptes et désireuses de travailler. Celles-ci se répartissent en deux groupes, les travailleurs qui occupent un emploi rémunéré et ceux qui subissent un arrêt forcé, les chômeurs. Le rapport entre ces deux valeurs révèle le taux de chômage.

Une autre gamme de statistiques importantes concerne le commerce extérieur. Elles mesurent les importations et les exportations du Canada avec ses partenaires économiques et permettent de calculer la balance commerciale du pays.

Puis viennent les données sur les salaires, le nombre d'heures travaillées, les investissements, les stocks, le transport ... Suivent les statistiques de prix, permettant de mesurer l'inflation, ainsi que toutes les informations financières sur la masse monétaire, les taux d'intérêt, les émissions de titres et leur rendement, la valeur de la monnaie, etc.

La liste peut s'allonger sur des pages entières. Il n'est heureusement pas essentiel de connaître la nature exacte ou la composition de toutes ces mesures pour expliquer clairement un cycle économique. Nous allons donc insister, en cours de route, sur l'interprétation qu'il faut donner aux grands indicateurs plutôt que sur leur définition exacte. Le lecteur intéressé trouvera à la fin un lexique sommaire des termes que nous évoquerons au passage, ainsi qu'une bibliographie économique et financière.

7. Les institutions financières

Mais qui peut bien s'occuper de compiler toutes ces statistiques dont nous venons de parler? Et en plus, qui voit au bon fonctionnement de toute la mécanique économique en général? Bonnes questions!

La conduite des opérations courantes d'une économie moderne exige l'accomplissement d'opérations financières que l'on ne soupçonne pas toujours d'exister. On pourrait penser, par exemple, qu'un gouvernement central n'est pas soumis aux mêmes contraintes de financement que les autres intervenants économiques. L'Etat ne possède-t-il pas le pouvoir d'émettre autant de monnaie qu'il le souhaite?

Oui! Mais afin de maintenir l'équilibre financier du pays, il doit le faire en suivant des règles strictes. En réalité, les gouvernements de tous les niveaux, fédéral, provincial, municipal, ainsi que tous les organismes privés et publics doivent financer leurs opérations de la même manière que nous.

S'il s'agit d'un achat courant, ils l'assument à même leurs revenus réguliers ou en obtenant du financement à court terme, tout comme nous payons nos petites dépenses hebdomadaires avec nos salaires ou à l'aide d'une carte de crédit.

Lorsque le déboursé est plus important ou lorsqu'il implique des biens plus durables, ils empruntent pour des périodes prolongées qui vont de quelques mois à plusieurs années. De la même manière que nous finançons un voyage de vacances sur une année, une automobile sur plusieurs mois et une maison sur dix ou vingt ans.

Toutes ces opérations d'emprunt et de remboursement constituent la raison d'être des institutions financières d'un pays. Celles-ci organisent et assurent le mouvement des capitaux nécessaires à la production et à l'échange des biens et services entre les intervenants économiques.

La principale institution financière d'un pays s'appelle la banque centrale. Elle constitue en quelque sorte la banque personnelle du gouvernement; c'est pourquoi nous l'appelons ici la Banque du Canada. Les dirigeants du pays lui confient la responsabilité de gérer le crédit et la monnaie de manière à atteindre les objectifs de bien-être de la population canadienne.

Ses principales fonctions consistent à émettre les billets de banque, à servir d'agent financier pour le gouvernement, c'est-à-dire à effectuer gratuitement les transactions de recettes et de dépenses de l'Etat, à servir de banque pour les autres banques du pays, à administrer la dette publique et à contrôler le crédit à l'échelle de la nation.

Ce rôle de contrôler le crédit s'exerce par l'achat ou la vente de titres émis par le gouvernement central et par les autres gouvernements ou institutions financières, ainsi que par la détermination du niveau général des taux d'intérêt. Cette fonction de la Banque du Canada est fondamentale, car elle permet indirectement d'influencer l'évolution de toute l'économie. Il importe donc de nous pencher un peu sur ses opérations.

On peut se représenter la banque centrale comme le conducteur d'un puissant véhicule, l'économie canadienne. Le carburant s'appelle la masse monétaire, c'est-à-dire la somme de toutes les liquidités en circulation et des avoirs rapidement transformables en liquidités, tels que les dépôts à vue dans les banques. Plus cette masse s'élève, plus le crédit devient facile, encourageant les dépenses et les investissements. Et inversement.

La principale manette de contrôle du véhicule réside dans le taux d'escompte (ou taux de la banque ou taux de réescompte). Il s'agit en réalité du taux que la Banque du Canada applique aux banques à charte qui font affaire à ses comptoirs. Ce taux guide l'ajustement de tous les taux d'intérêt pratiqués par les institutions financières du pays.

Lorsque l'économie s'échauffe et progresse trop rapidement, la banque centrale appuie sur les freins en haussant son taux d'escompte, ce qui augmente le coût des emprunts et ralentit rapidement l'ardeur dépensière des intervenants économiques. Si, au contraire, il faut encourager les dépenses qui s'essoufflent, la banque presse l'accélérateur en réduisant son taux de base. Les intérêts payés sur les comptes d'épargne et le coût du crédit s'amoindrissent, ce qui incite à la consommation.

Les banques à charte constituent la seconde institution financière en importance au pays. Sous la surveillance étroite du gouvernement fédéral, elles agissent directement auprès du grand public et des gens d'affaires en recevant les dépôts des épargnants et en offrant une impressionnante variété de services à leurs clients: prêts à la consommation, aux commerces, aux industries; prêts hypothécaires; cartes de crédit; etc. Sans faire partie du réseau officiel des banques à charte, les caisses populaires, les caisses d'économie et les caisses d'entraide économique jouent un rôle similaire auprès de la population du Québec.

Dans le domaine du crédit hypothécaire, nous retrouvons deux grandes institutions financières publiques, la Société centrale d'hypothèques et de logement et la Société d'habitation du Québec qui ont pour mission d'appuyer les politiques des gouvernements canadien et québécois en matière de développement domiciliaire et d'accès à la propriété.

D'autres organismes financiers existent pour favoriser le développement industriel, tels que la Société générale de financement et les bourses des valeurs mobilières. Suivent enfin toute une série de sociétés privées qui oeuvrent dans divers domaines du financement: sociétés de prêts hypothécaires, sociétés de placement, sociétés de crédit à la consommation, fonds mutuels, compagnies d'assurance.

Soulignons, avant de terminer, l'importante société provinciale créée en 1965 pour gérer les fonds des régies gouvernementales du Québec, la Caisse de dépôt et de placement. Ses actifs totaux frôlent les 30 milliards$ en 1987. Ce capital constitue un puissant outil de développement économique.

8. L'inflation

Nous avons vu auparavant qu'il existe de nombreuses mesures permettant de connaître la santé d'une économie. A partir de quel indicateur savons-nous que celle-ci s'échauffe? Qu'elle entre dans une période de tension? Les symptômes ne sont pas évidents car, il ne faut pas l'oublier, ce phénomène intervient toujours à la suite d'une période de prospérité d'au moins quelques années. Tout juste le temps d'oublier les malaises de la récession précédente.

Imaginez le conducteur d'une automobile. Il roule sur l'autoroute à 100 km/h. Tout va bien. Mais la monotonie de la route l'ennuie. Et puis il est pressé d'arriver à destination. Alors prudemment, il pousse à 120 km/h. Pas un bruit! Quelle formidable mécanique, bien huilée et surtout bien insonorisée. Il ose accélérer encore un peu plus, 130, 135, puis 140 km/h. Incroyable!

Bien sûr, il ne peut voir les pneus qui se tordent à chaque virage. Les essieux et les amortisseurs qui subissent de fortes tensions. Il ne voit ni n'entend le moteur non plus. Ni l'huile qui s'échauffe et s'évapore peu à peu. Oh, il y a bien cette petite lumière qui scintille sur le tableau de bord, mais ces cadrans ne sont jamais très fiables. Il verra à l'arrivée. Et le voyage se poursuit, sans accident la plupart du temps. Jusqu'au jour où...

Il en va de même dans une économie. Les périodes de tension y résultent de la prospérité, de l'imperfection de certains mécanismes, de la difficulté de mesurer les phénomènes avec exactitude et aussi, de l'ambition et de l'insouciance des humains.

Les besoins insatiables exprimés par les consommateurs incitent les gens d'affaires à pousser sans cesse la machine à production vers de nouveaux sommets. Les responsables politiques, toujours préoccupés d'une échéance électorale prochaine, hésitent à ralentir une mécanique qui semble si bien fonctionner. La prospérité engendre l'audace et l'imprudence.

D'ailleurs, en période de tension, la plupart des grands indicateurs économiques affichent des résultats très positifs. La production augmente, le chômage régresse, les taux d'intérêt demeurent bas et le crédit s'obtient sans difficultés. En fait, un seul symptôme garantit avec certitude la présence de fortes tensions économiques, l'inflation généralisée. En quoi consiste-t-elle exactement?

L'inflation équivaut à une hausse des prix et des coûts sans augmentation équivalente de la qualité ou de la quantité. Cette dernière partie de la définition est importante. On ne peut en effet qualifier d'inflation la hausse du prix d'un produit amélioré par rapport aux versions antérieures. Une automobile plus moderne et plus performante que les modèles précédents amène une augmentation justifiée de son prix.

La mesure de l'inflation pose cependant des problèmes. S'il s'agit d'un produit très standardisé et qui varie peu avec le temps, comme le litre de lait, on peut facilement connaître la nature inflationniste d'une augmentation de prix. Il suffit de comparer le nouveau prix à l'ancien. Mais dans le cas de produits qui subissent régulièrement des modifications liées à la mode comme les vêtements ou les automobiles, comment distinguer la partie de la hausse des prix correspondant réellement à une appréciation de la qualité? Certains compagnies sont passées maîtres dans l'art de justifier des variations de prix appréciables en ajoutant à leurs produits des changements insignifiants.

Les statisticiens ont tout de même développé des méthodes perfectionnées pour mesurer régulièrement les poussées inflationnistes. Celles-ci sont évaluées dans les divers secteurs de l'économie et se traduisent par la publication d'indices de prix: indice des prix de vente dans l'industrie, indice des prix de la dépense nationale brute, indice des prix des aliments ... et le plus connu, l'indice des prix à la consommation, l'IPC.

Chacun de ces indices révèle la variation inflationniste des prix par rapport à une année de référence quelconque. Par exemple, un IPC de *134,7 en 1987 (1981=100)* indique que les prix d'un ensemble déterminé de biens et de services, reconnus comme nécessaires à la vie d'un ménage canadien, ont progressé de 34,7% depuis 1981.

Ces indices se révèlent fort utiles car ils permettent de mesurer la progression matérielle ou réelle des phénomènes uniquement mesurés en dollars. Considérez votre revenu net par exemple. S'il a progressé de plus de 34,7% durant la période 1981-1987, cela signifie que votre capacité d'acheter des biens et services s'est réellement accrue. Donc que votre niveau de vie s'est amélioré.

On applique ainsi des indices de prix appropriés à tous les grands ensembles économiques. Lorsqu'une donnée n'est pas dégonflée par un indice de prix, on dit qu'elle est exprimée en dollars *courants*, c'est-à-dire en dollars de l'année en cours. On ne peut alors connaître la progression matérielle réelle de la variable étudiée. En appliquant un indice de prix, on obtient des valeurs exprimées en dollars *constants* de l'année de base. En divisant votre revenu net de 1987 par l'IPC de 1,347 par exemple, vous obtenez votre revenu en dollars constants de 1981, ce qui permet de déterminer si votre pouvoir d'achat s'est réellement amélioré ou détérioré depuis cette date.

Une inflation de 2 à 3% par année, qualifiée de *rampante*, est généralement reconnue comme normale et inévitable dans une économie dynamique. Elle provient de légères tensions qui frappent périodiquement ou de façon chronique certains secteurs industriels. Lorsque le taux varie entre 4 à 7%, on parle d'inflation *forte*. Au delà de ce niveau, on atteint l'inflation *galopante*, hors de tout contrôle.

Une inflation forte et prolongée engendre des conséquences économiques et sociales très négatives: effritement du niveau de vie des personnes bénéficiant de revenus non indexés à l'IPC, telles que les pensionnés; fortes revendications salariales des travailleurs; freinage des exportations à cause de la détérioration de la position concurrentielle par rapport aux pays où l'inflation est inférieure; etc.

9. Les tensions en 1981

L'année 1981 marque pour le Canada l'apogée d'une des périodes de tension économique les plus virulentes des dernières décennies. La progression annuelle de l'inflation, mesurée par l'indice des prix à la consommation (IPC), atteint cette année-là un sommet de 12,5%. Aux États-Unis et au Japon, la pointe se situe en 1980, avec 13,4 et 7,9%.

La gravité de la situation vient surtout de l'accumulation successive de hausses de plus en plus extravagantes. De 4,7% en 1971, le taux bondit à 10,8% dès 1975; il ralentit à peine aux environs de 8% au cours des deux années suivantes, pour repartir de plus belle en 1978: 8,9%, 9,2% et 10,2% en 1980. L'IPC gonfle à la moyenne à 10,4%/an, pour doubler sa valeur entre 1974 et 1981, alors qu'il n'avait progressé qu'au rythme moyen de 4% au cours des 14 années précédentes.

Bien sûr, la production accomplit des pas de géant. Le produit intérieur brut réel (PIB en dollars constants) augmente de 3 à 4% par an et les investissements oscillent entre 10 et 12% en 1980-1981. Tous les segments de l'économie bourdonnent à plein rendement: l'industrie manufacturière, la construction, le transport, le commerce de détail, les services.

Le taux de chômage se maintient à 7,5% depuis trois ans, ce qui constitue un taux relativement bas, compte tenu des particularités de l'économie canadienne. Les travailleurs reçoivent de l'argent, beaucoup d'argent. Et ils le dépensent sans compter. Les ventes de voitures neuves se maintiennent à plus de 900 000 véhicules par an, après avoir dépassé le million en 1978. La construction de nouveaux logements demeure élevée, favorisant l'accès à la propriété et au confort.

Mais la machine de production ne réussit plus à suivre ce rythme endiablé. Elle tarde de plus en plus à s'ajuster à une demande qui, elle, ne tarit pas. Les stocks diminuent. L'essoufflement se traduit par les hausses de prix que nous connaissons, seule réponse économique possible à une pénurie de ressources.

Les problèmes sociaux se multiplient et les grèves se succèdent. Car chacun exige les augmentations de salaire nécessaires au maintien et à l'accroissement d'un niveau de vie qui risque de s'effriter dangereusement. Les retraités se plaignent aussi et demandent l'indexation de leurs pensions. Ils l'obtiennent. Tout s'indexe à l'IPC. Même les tables d'impôt. De cette manière, la spirale peut continuer à l'infini.

Les statistiques boursières suivent la cadence. Le cours des actions industrielles sursaute de 116% entre 1977 et 1980. En 1981, il fléchit cependant quelque peu, annoncant le premier signal d'un revirement prochain. Les spécialistes de la Bourse possèdent cette prudence exagérée ou ce don d'anticipation qui permet parfois de deviner à l'avance les mouvements cycliques de l'économie.

Pourtant, les responsables de la politique monétaire n'ont pas ménagé leurs efforts pour ralentir le rythme de la croissance. Dès 1978, le taux d'escompte de la banque centrale passe à 10,8%. Cela ne suffit pas. Il grimpe à 14% l'année suivante, puis à un sommet de tous les temps en 1980: 17,3%.

Au cours des mois suivants, tous les taux d'intérêt du pays frôlent 20%. Les emprunts deviennent prohibitifs, les hypothèques inabordables, les prêts à la consommation d'une chèreté ridicule. L'on veut briser les reins de l'inflation et, pour cela, il faut absolument arrêter la machine.

A la fin de 1981, le freinage final approche. Comme tous les mouvements de masse, il se fera sentir brusquement et provoquera la récession de l'année suivante.

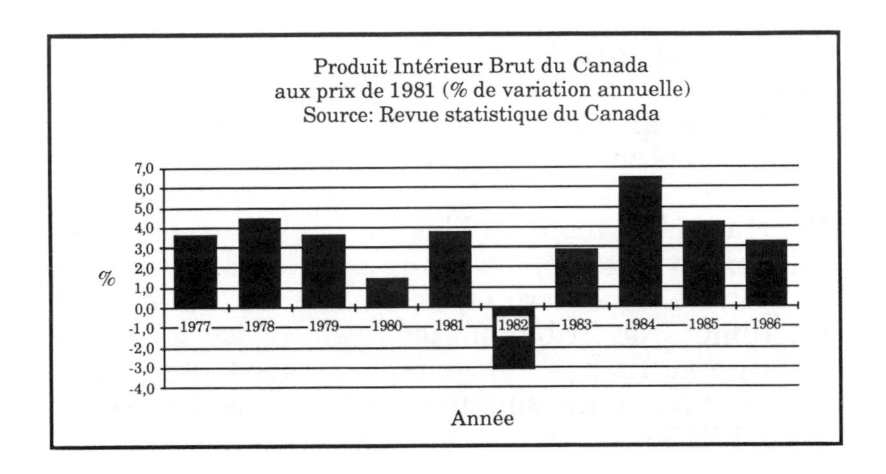
Produit Intérieur Brut du Canada
aux prix de 1981 (% de variation annuelle)
Source: Revue statistique du Canada
7,0
6,0
5,0
4,0
3,0
2,0
1,0
0,0
-1,0
-2,0
-3,0
-4,0
%
1977
1978
1979
1980
1981
1982
1983
1984
1985
1986
Année

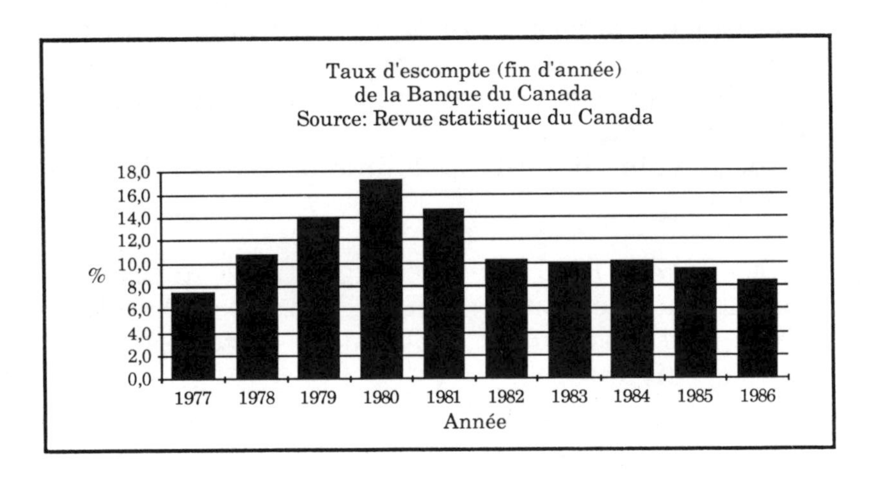
Taux d'escompte (fin d'année)
de la Banque du Canada
Source: Revue statistique du Canada
18,0
16,0
14,0
12,0
10,0
8,0
6,0
4,0
2,0
0,0
%
1977
1978
1979
1980
1981
1982
1983
1984
1985
1986
Année

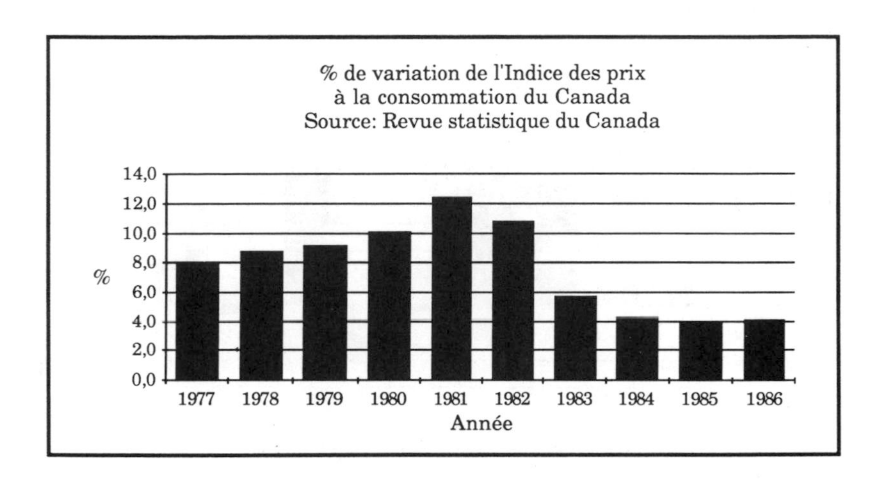
% de variation de l'Indice des prix
à la consommation du Canada
Source: Revue statistique du Canada
14,0
12,0
10,0
8,0
%
6,0
4,0
2,0
0,0
1977
1978
1979
1980
1981
1982
1983
1984
1985
1986
Année

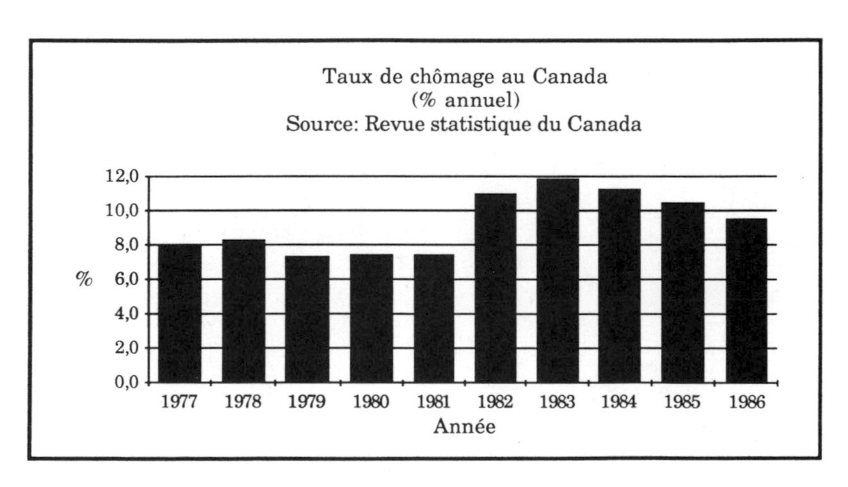
Taux de chômage au Canada
(% annuel)
Source: Revue statistique du Canada
12,0
10,0
8,0
%
6,0
4,0
2,0
0,0
1977
1978
1979
1980
1981
1982
1983
1984
1985
1986
Année

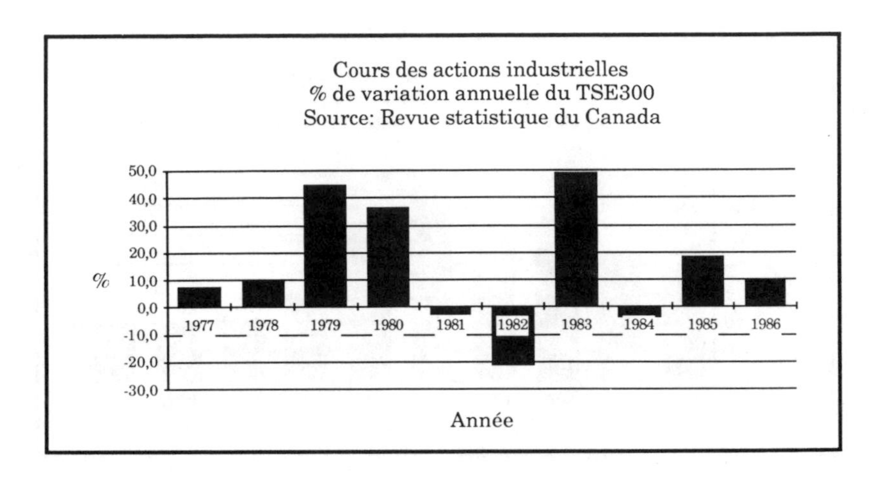
Cours des actions industrielles
% de variation annuelle du TSE300
Source: Revue statistique du Canada
50,0
40,0
30,0
20,0
10,0
0,0
-10,0
-20,0
-30,0
%
1977
1978
1979
1980
1981
1982
1983
1984
1985
1986
Année

10. De la théorie à la pratique

Nous allons maintenant commencer à appliquer nos connaissances théoriques. Nous le ferons en élaborant un portefeuille de placements. Celui-ci nous permettra d'acheter et de vendre certaines valeurs mobilières et surtout, d'apprécier l'impact des cycles économiques et boursiers sur la valeur totale de nos avoirs.

Fixons dès le début les règles à suivre. Notre capital de départ s'élève à 10 000$. Aucun argent ne sera ajouté ni enlevé en cours de route. Nous pourrons ainsi, à chaque étape, calculer la progression du portefeuille par rapport à l'investissement initial.

Nous effectuerons les transactions selon les taux d'intérêt et les prix réels prévalant sur le marché à des dates-repères, soit vers le milieu de chaque année.

Comme il faut bien payer notre courtier en valeurs mobilières, nous lui verserons, lorsque cela s'applique, une commission standard de 3% du prix total, à l'achat et à la vente.

Finalement, afin de ne pas trop alourdir la comptabilité, les résultats ne tiendront pas compte des déductions fiscales ou de l'impôt à payer sur certains revenus de placement. Cela ne signifie pas que ces aspects soient négligeables dans le calcul du rendement net d'un portefeuille. Mais notre but consiste avant tout à démontrer l'évolution du capital total selon les hauts et les bas des cycles économiques et financiers.

Nous utiliserons une stratégie de placement évolutive. D'abord simple et conservatrice, celle-ci deviendra graduellement plus osée et diversifiée, au gré de l'optimisme général lié aux périodes de forte expansion de l'économie. A la toute fin, nous pourrons mesurer l'efficacité de cette approche intimement liée à la tendance générale.

Donc, première décision à prendre en juin 1981: où placer notre avoir de 10 000$? Un rapide coup d'oeil sur le taux d'inflation nous incite à choisir un véhicule de placement offrant un rendement au moins aussi élevé. Etant encore peu expérimentés, nous choisissons des valeurs sûres: 5 000$ en obligations d'épargne du Canada à 14% ; 5 000$ en dépôt bancaire d'un an à 13%.

Ces placements présentent l'avantage d'être rapidement transformables en argent liquide. Qui sait ce que nous réservent les prochains mois?

Transactions de départ	**1981**			
Transactions	**Qté**	**Prix**	**Total $**	**Caisse $**
Encaisse au début				10 000
Achat d'obligations d'épargne (Canada 14%)	5 @	1 000	5 000	5 000

Portefeuille de départ	**1981**		
Valeurs sûres	**Qté**	**Coût à l'achat**	**Valeur au marché**
Obligations d'épargne du Canada (14%)	5	5 000	5 000
Encaisse (compte d'épargne, 1 an, 13%)		5 000	5 000
Sous-total		**10 000**	**10 000**
Total		**10 000**	**10 000**

La récession

11. Les formes de placements

Bien timidement, nous venons d'effectuer nos premiers placements. Ils se limitent pour le moment à un dépôt bancaire et à des obligations d'épargne. Quelles sont les autres possibilités? On peut dire qu'elles sont à la mesure des besoins de financement des joueurs économiques.

Et comme ces besoins sont très variés, les investisseurs se voient offrir une variété quasi-illimitée de formes de placement. Nous allons les survoler rapidement, en les classant par ordre croissant de niveau de risque et de complexité. Plus loin, nous reprendrons en détail les modes les plus courants et les plus accessibles à l'investisseur individuel.

Où trouver les informations nécessaires à la gestion d'un portefeuille? Il faut, nous le savons, des données sur l'état de l'économie, des statistiques financières, des analyses de situation, etc. Il existe dans tous ces domaines de nombreuses sources d'information spécialisées: publications de Statistiques Canada et du Bureau de la statistique du Québec, documents de centres de recherche, répertoires financiers, livres et brochures, rapports annuels des compagnies ... De quoi remplir une bibliothèque complète.

La meilleure source d'information se trouve

cependant à la portée de tous et s'obtient à peu de frais dans les pages financières des quotidiens et des journaux financiers. Il suffit de prendre l'habitude de s'y pencher quelques minutes par jour pour suivre l'état de l'économie et comprendre les grands courants qui l'animent. Passons en revue le cahier économique d'un grand journal et voyons ce qu'il contient.

On y trouve d'abord des informations sur la santé de l'économie. Régulièrement, on y rapporte l'évolution des grands indicateurs économiques tels que le chômage, l'inflation et la production industrielle. Des analystes expliquent chacun de ces phénomènes, vulgarisent les concepts et soumettent même d'audacieuses prévisions sur les tendances qu'ils adopteront.

Viennent ensuite les événements particuliers. Ceux-ci touchent très souvent à la politique nationale et internationale ainsi qu'à tous les faits qui, de près ou de loin, peuvent influencer la confiance des consommateurs et des investisseurs. Rapidement, un lecteur attentif peut se familiariser avec les termes de ce vocabulaire particulier et commencer à se former une opinion personnelle sur l'état général de l'économie, opinion qu'il raffine au jour le jour, à mesure que s'additionnent de nouvelles informations.

Suivent les nombreuses données financières. D'abord, les taux d'intérêt. Ceux-ci correspondent aux formes de placements les plus sûres, les titres à rendement: bons du trésor, dépôts bancaires, obligations d'épargne et autres obligations gouvernementales et privées, hypothèques à termes divers, debentures et certaines actions.

Soulignons immédiatement que nous ne toucherons pas aux prêts hypothécaires qui relèvent du domaine immobilier. Celui-ci représente en effet un univers bien particulier et son traitement exige plus que la simple mention que nous pourrions en faire ici.

Les taux de rendement de ces titres s'établissent en référence au taux d'escompte de la banque centrale. Ils varient l'un de l'autre selon le risque couru par le prêteur ou l'emprunteur et selon la durée de l'engagement. Une institution verse, par exemple, un intérêt plus élevé au déposant qui accepte de lui confier ses épargnes pour une période prolongée, car elle dispose alors de plus de flexibilité pour obtenir à son tour un rendement accru.

Nous trouvons ensuite les statistiques boursières. Des indices révèlent l'évolution du cours de l'ensemble des actions inscrites à la Bourse ou de sous-secteurs économiques: industrielles, transport, services publics, finance, mines et métaux, forêt ...

Comme dans le cas des placements précédents, les actions présentent des risques et des possibilités de rendements divers.

En haut de gamme, nous retrouvons les valeurs sûres que l'on appelle dans certains cas les *Blue*

Chips . Il s'agit d'actions des très grandes compagnies multinationales, souvent diversifiées dans plusieurs domaines. Celles-ci offrent des garanties de pouvoir supporter avec moins de risques les aléas inévitables de crises économiques. On ajoute également les entreprises des secteurs qui sont naturellement moins sensibles aux cycles économiques, tels que le secteur de l'alimentation ou celui des services publics comme l'électricité, les banques et les communications.

Une deuxième grande catégorie, les titres secondaires, regroupe la plus grande partie des actions boursières. On y inclut les entreprises établies, mais de taille moins gigantesque que les précédentes ou qui oeuvrent dans des domaines spécialisés et hautement soumis à la concurrence nationale ou internationale.

Un groupe à part est formé par les actions dites cycliques, dont les affaires varient en relation étroite avec les hauts et les bas de l'économie. C'est le cas notamment des fabricants d'automobiles qui voient leurs ventes ralentir considérablement en période de récession, entraînant dans leur sillage toutes les compagnies qui leur sont associées, que ce soit dans l'acier ou l'aluminium.

Une autre catégorie spéciale d'actions représente la haute technologie, caractérisée par la robotisation, l'informatique ou les nouveaux procédés de toutes sortes. Actions d'un incroyable volatilité, elles peuvent se multiplier par dix en l'espace de quelques années ou plus souvent disparaître à néant au bout de quelques mois.

Finalement, en bas de gamme, nous retrouvons les actions spéculatives, les nouvelles compagnies en croissance, les PME, les petites compagnies d'exploration minière ou pétrolière qui souvent n'existent que sur papier. Domaine encore plus aléatoire que la haute technologie, celui-ci s'accompagne de risques très élevés. Mais son existence demeure nécessaire au maintien du dynamisme industriel et de la croissance économique.

Les pages financières nous informent également sur les prix courants des devises et d'un foule de matières de base: denrées agricoles, produits laitiers, fruits et légumes, métaux précieux, or, argent, platine; métaux communs, aluminium, cuivre, plomb, zinc; bestiaux; etc. Ces données sont précieuses car elles aident à évaluer la performance des compagnies qui leur sont associées. Des prix faibles pour les métaux reflètent une carence de la demande, ou un excédent de l'offre de ces produits, laissant entrevoir des bénéfices moindres pour les compagnies productrices.

L'un des aspects les plus fascinants et les plus informateurs des données financières réside dans les valeurs à terme. Celles-ci s'appliquent aussi bien au marché des actions qu'à celui de tous les éléments que nous venons d'énumérer au paragraphe précédent. Sauf qu'ici, l'on n'achète ni le titre lui-même, ni la denrée. Une valeur à terme procure plutôt un droit d'acheter ou de vendre, plus tard, à des conditions déterminées à l'avance, l'élément dont il est l'objet. C'est le droit, par exemple, d'acheter au cours des trois prochains mois, de l'or à 450 $US l'once.

Les valeurs à terme constituent un important atout pour les partenaires économiques qui peuvent s'assurer de connaître à l'avance le coût de certaines matières essentielles. Mais elles constituent également, comme nous le verrons en détail, un irrésistible moyen de jeu et de spéculation, comportant alors des risques démesurés.

12. La récession de 1982

Revenons maintenant à nos cycles économiques avec une nouvelle phase, la récession. Celle-ci représente l'hiver d'un cycle économique. Tantôt rigoureux, tantôt clément, on le considère toujours trop long à finir. Cette période sonne la fin de la récréation que l'on tentait de prolonger à l'infini. Elle annonce le retour à la réalité de la rareté des ressources. Le progrès économique ne s'obtient qu'au prix d'efforts et de sacrifices soutenus.

La récession de 1982 vient à la suite d'une période de croissance régulière assez remarquable d'un quart de siècle. La dernière baisse réelle du produit intérieur brut canadien (PIB) remonte en effet à 1957. Celle-ci suivait les reculs d'aprèsguerre en 1945 et 1947 et, bien sûr, la formidable dépression des années trente. Donc, vingt-cinq années de progression ponctuées de quelques ralentissements mineurs en 1970, 1975 et au début de 1980.

Dans ce contexte de prospérité, on imagine facilement le choc de 1982. Juste au moment où l'on croit l'économie à jamais prémunie des fléaux récursifs de la récession, celle-ci frappe avec force. Le PIB recule d'un seul coup de 3,3%. Aucun secteur n'est épargné.

D'abord, l'industrie manufacturière, qui voit sa production fondre de 12,9%. Les grandes entreprises accusent le coup en premier. Les ventes de voitures particulières neuves passent de 904 000 en 1980 à 713 000 l'année suivante, une baisse de 21,1%. La construction de nouveaux logements connaît un sort semblable, avec un recul de 26,2%.

La réaction en chaîne est amorcée et se répercute dans les réseaux d'approvisionnement. Moins de biens durables, cela signifie moins de commandes d'acier, d'aluminium, de bois, de caoutchouc, de plastique et de toutes les composantes fournies par les petites entreprises qui vivent en amont des multinationales.

Les marchés boursiers reflètent le pessimisme général. Le cours des actions industrielles baisse de plus de 20%. Le profits ne seront pas au rendez-vous des gens d'affaires.

La faiblesse des ventes engendre rapidement des mutations dans l'emploi. La population active cesse d'augmenter. Qui veut rejoindre un marché du travail aussi peu accueillant? Le nombre de chômeurs grimpe en flèche, de 898 000 à 1 314 000 en moins d'une année. Le taux de chômage touche 11,0%, son plus haut niveau depuis 1961. Les prestations d'assurance-chômage s'épuisent et font place à l'aide sociale pour les plus démunis et pour ceux qui se lassent de chercher en vain un emploi.

Le ralentissement de la production touche aussi

les importations de marchandises qui s'affaissent de 13,5%. Le Canada exporte sa récession chez ses partenaires commerciaux. Ils lui rendent la politesse en limitant la croissance des exportations canadiennes à zéro.

Moins d'achats, moins de ventes. Moins de ventes, moins de production. Moins de production, moins de travail. Moins de travail, moins de revenus. Moins de revenus, moins d'achats. La boucle se referme sur le cercle vicieux de la récession.

Combien de temps doit durer ce mauvais manège? En 1982, les prix continuent de progresser de 10,8%. Une amélioration par rapport à 1981, certes, mais cela demeure encore trop élevé. Durant toute l'année, les mesures restrictives au crédit continuent de s'appliquer. Le taux de rendement moyen des obligations à long terme se maintient au niveau phénoménal de 14,3%.

Mais l'assainissement est commencé. Car c'est ainsi qu'il faut percevoir une période de ralentissement ou de récession. Au delà de la misère que les gouvernements tentent d'atténuer par diverses mesures sociales, ces phases servent à donner une vigueur nouvelle à l'économie.

Les intervenants économiques les plus faibles périssent de ne pouvoir s'adapter aux difficultés du moment. Les plus forts en profitent pour faire le ménage et couper le bois mort. On tente désespérement de limiter la chute des profits. Les travailleurs qui conservent leur emploi se voient demander des concessions qui contribuent à rétablir la position concurrentielle du pays face à ses partenaires commerciaux.

Toute l'économie en ressortira gagnante, pourvu que le printemps ne tarde pas trop.

13. Les obligations

Afin d'enrichir notre stratégie de placement, nous allons maintenant regarder plus en détail une nouveau véhicule financier, **les obligations**.

Une obligation est un titre de créance émis à un prêteur et garanti directement par les actifs de l'emprunteur. Jusqu'à un certain point, on peut les comparer aux hypothèques sur les maisons. Les debentures diffèrent des obligations en ce sens qu'elles ne sont pas liées aux actifs de l'emprunteur. Elles ressemblent plus à de simples reconnaissances de dettes.

Pour un investisseur, les obligations et les debentures se classent dans la catégorie des placements sûrs. D'une part, elles garantissent un rendement à leur détenteur sous forme d'un intérêt versé régulièrement. D'autre part, elles sont remboursables à leur pleine valeur au moment de leur échéance.

Les obligations sont émises par les gouvernements, les corporations municipales, les compagnies et divers organismes comme les hôpitaux, les commissions scolaires et les sociétés d'Etat.

Le montant inscrit sur une obligation représente sa valeur nominale, c'est-à-dire le montant qui a été prêté à l'émetteur et qui sera effectivement remboursé au prêteur le moment venu.

Les obligations d'épargne vendues par les gouvernements forment une catégorie à part. Il s'agit en fait de debentures, car elles ne sont pas liées à des actifs précis de l'Etat. Elle demeurent cependant un placement haut de gamme puisqu'elles mettent en cause l'institution la plus solide d'un pays, son gouvernement, dotée de pouvoirs de taxation théoriquement illimités. Elles ne peuvent se transiger sur le marché, mais cela importe peu car l'émetteur s'engage à les racheter à leur valeur nominale en tout temps, même avant leur échéance.

Les autres types d'obligations se négocient sur le marché par l'intermédiaire des maisons de courtage spécialisées dans ce type de placement. Les prix auxquels elles s'échangent ne correspondent cependant pas nécessairement à leurs valeurs nominales. Ces prix s'établissent en tenant compte du rendement des autres véhicules de placement accessibles aux investisseurs. Voici comment cela fonctionne.

Vous avez acheté en 1981 une obligation du gouvernement du Canada de 1 000$ libellée *Canada, 12,5%, Déc 1994.* Cela signifie que vous détenez une titre qui vous rapporte 125$ d'intérêt par année, jusqu'en l'an 1994. A ce moment, l'Etat vous remboursera le 1 000$ emprunté.

Supposons que vous souhaitiez vous départir de ce

titre en 1987, alors que le taux courant des nouvelles obligations canadiennes se situe aux environs de 10%. Vous en obtiendrez certainement un montant supérieur à 1 000$, car cette obligation offre à son détenteur un intérêt de 2,5% supérieur au taux courant et cela, pour une période additionnelle de 6 années. Le mécanisme de l'offre et de la demande jouant, le prix de votre titre se situerait à 1 120$. Pour un rendement net moyen au nouvel acheteur de 10%, équivalant à celui du marché.

Inversement, la vente d'une obligation du même type, mais ne portant qu'un intérêt de 7 ou 8%, rapporterait à son propriétaire un montant moindre que sa valeur nominale, soit aux environs de 900$, assurant encore à l'investisseur un rendement net moyen de 10% jusqu'à l'échéance.

D'autres facteurs interviennent dans l'établissement de la valeur au marché des obligations. La solvabilité financière de l'émetteur compte évidemment pour beaucoup, car même si les obligations constituent des créances garanties, les compagnies qui les émettent ne sont pas toujours en mesure de verser régulièrement les intérêts dus ou d'honorer les remboursements à l'échéance.

Les classes d'obligations et de debentures influencent également leur valeur au marché. On distingue ainsi les obligations de première ou de deuxième hypothèque, les obligations garanties par nantissement de titres, les debentures à remboursements fixes échelonnées, les debenture convertibles, les obligations à intérêt conditionnel ou à fonds d'amortissement, etc. Chaque catégorie de titres correspond à un risque différent et à des besoins de financement particuliers.

14. Vers l'An 2001

Notre portefeuille de placement fête sa première année. Voyons un peu les résultats obtenus (voir le tableau sur la page suivante). Nous avons encaissé 1 350$ en revenus d'intérêt, pour un rendement global de 13,5%. Pas mal!

En feuilletant les pages financières, une valeur attire notre attention. Il s'agit d'une obligation dont la valeur nominale se situe à 1 000$ mais dont le prix au marché n'est que de 656$. Serait-ce une aubaine négligée par tous les spécialistes?

Après examen, nous constatons que cette obligation du gouvernement canadien, valable jusqu'en octobre 2001, ne rapporte que 9,5% par année. De plus, elle ne permet pas d'obtenir un plein remboursement en tout temps, comme pour les obligations d'épargne. Voilà ce qui explique son prix peu élevé.

Mais cette valeur offre tout de même un intérêt annuel de 95$. Par rapport à un investissement de 656$, cela représente un rendement de 14,5% dès la première année. Assez intéressant! D'autant plus que nous anticipons un éventuel relâchement des conditions de crédit afin de relancer l'économie. Or, si les taux d'intérêt baissent, même légèrement, le prix de vente de notre obligation suivra la tendance inverse. Il augmentera.

Décision prise! Nous achetons 7 coupures de 1 000$ de cette précieuse valeur, *Canada, 9,5%, Oct 2001*. Si l'avenir répond à nos anticipations, nous réaliserons l'an prochain notre premier gain en capital. A 656$ l'unité, il nous reste même un peu d'argent dans notre compte bancaire. Quant à nos obligations d'épargne à 14%, il vaut mieux les conserver.

Le bilan net de nos opérations, compte tenu de la commission à payer sur nos achats, laisse un portefeuille valant 11 212$ aux prix du marché. Une appréciation nette de 12,1% en un an.

Transactions	**1982**			
Transactions	**Qté**	**Prix**	**Total $**	**Caisse $**
Encaisse (compte d'épargne, 1 an, 13%)				5 000
Intérêts reçus sur compte d'épargne			650	5 650
Intérêts reçus sur obligations d'épargne	5 @	140,00	700	6 350
Achat Obligations Canada 9,5 % Oct 2001	7 @	656	4 730	1 620

Portefeuille	**1982**		
Valeurs sûres	**Qté**	**Coût à l'achat**	**Valeur au marché**
Obligations d'épargne du Canada (14%)	5	5 000	5 000
Obligations Canada 9,5 % Oct 2001	7	4 730	4 592
Encaisse (compte d'épargne, 1 an, 12%)		1 620	1 620
Sous-total		**11 350**	**11 212**
Total		**11 350**	**11 212**
Mise de fonds initiale et augmentation depuis 1981 (%)		**10 000**	**12,1**

La reprise

15. La politique fiscale

Le rôle principal des gouvernements consiste à augmenter le bonheur individuel et collectif des populations qui les élisent. Qu'ils oeuvrent aux niveaux municipal, provincial ou fédéral, ils tentent par tous les moyens de gérer de manière optimale la richesse collective, de l'accroître et de mieux la répartir entre tous les individus de la société.

Le gouvernement central, disposant de certains outils exclusifs tels que le contrôle de la monnaie, et de pouvoirs de taxation très larges, joue le rôle de leader auprès des autres gouvernements. Il lui revient de déterminer les grandes lignes à suivre pour contrer les effets négatifs des cycles économiques, pour assurer le plein emploi et pour favoriser une croissance maximale de la production sans provoquer de poussées excessives d'inflation.

Parmi les moyens dont il dispose pour atteindre ces objectifs, nous connaissons déjà la politique monétaire qui, par la banque centrale, agit principalement sur la structure des taux d'intérêt pour contrôler la masse monétaire et le crédit. L'autre grand outil d'intervention réside dans le budget de l'État, c'est-à-dire, dans ses recettes et ses dépenses. L'ensemble des actions gouvernementales en cette matière s'appelle la politique fiscale.

La mécanique de la politique fiscale demeure relativement simple. Au cours d'un exercice financier, l'État effectue une quantité impressionnante de dépenses. Une grande partie de celles-ci couvrent les opérations courantes et traditionnelles des gouvernements: voirie, loisirs, éducation, santé, défense ...

Une autre partie sert à stimuler le développement économique sectoriel ou régional. Ainsi, l'État investit directement ou subventionne certaines activités économiques de pointe dont il veut encourager la croissance. Ou bien, il dirige ses dépenses vers des régions déterminées du pays afin d'y favoriser l'implantation de nouvelles industries et de créer de l'emploi.

Finalement, une autre partie sert à atténuer l'effet négatif des cycles économiques. Par exemple, l'État accroît considérablement ses dépenses lorsque les investissements provenant du secteur privé ont tendance à manquer. Puis, il se retire progressivement lorsque la confiance des investisseurs et des consommateurs relance les dépenses privées. Le gouvernement agit également pour atténuer les effets sociaux négatifs des récessions en versant des prestations du type assurance-chômage et aide sociale.

Le gouvernement, on le voit, effectue par ses dépenses un mouvement de va-et-vient continuellement ajusté sur les cycles de l'économie. Il s'implique davantage en période de ralentissement et s'éloigne lorsque son assistance n'est plus requise.

Parallèlement à sa politique de dépenses, l'État agit également sur ses recettes, car il faut bien financer tous ces déboursés. Sa principale source de revenus réside dans les taxes et les impôts.

Jusque dans les années trente, la coutume voulait que les budgets gouvernementaux s'équilibrent, c'est-à-dire que les recettes égalent les dépenses. On imagine facilement les effets d'une telle règle. D'une main, l'État injecte des fonds dans l'économie pour la stimuler. Et de l'autre, il retire de l'argent en appliquant de lourds impôts. Au total, son action se révélait à peu près nulle. Depuis ce temps, avec l'expérience des crises économiques majeures et avec le développement de la théorie budgétaire, la notion de déficit est venue s'ajouter au langage courant.

Celui-ci est maintenant perçu comme un outil majeur de la politique fiscale. Lorsqu'il faut stimuler la croissance économique, les dépenses de l'État se financent en accroissant le déficit plutôt qu'en augmentant les entrées fiscales par l'impôt. En période d'expansion, au contraire, le gouvernement réduit ses déboursés. Il profite aussi de recettes naturellement plus élevées provenant des impôts payés par les nouveaux travailleurs qui se trouvent un emploi. Il peut également générer des surplus budgétaires en appliquant des hausses de taxes et d'impôt dans le but de ralentir les ardeurs parfois démesurées des intervenants économiques.

Le jeu des déficits et des surplus budgétaires évoque la notion de dette publique. Sur la durée totale d'un cycle économique prolongé, celle-ci doit théoriquement s'annuler. Elle s'accroît au rythme des déficits durant les creux économiques, puis elle se rembourse à même les surplus durant les périodes plus favorables.

En réalité, les responsables politiques ne réussissent que rarement à atteindre cet équilibre théorique, pressés qu'ils sont par les besoins illimités de la population et coincés entre des échéances électorales régulières. Il s'ensuit donc un gonflement généralisé des dettes publiques à tous les niveaux de gouvernements.

Des dettes publiques démesurées, comme celles du Canada et des États-Unis, engendrent des problèmes économiques et sociaux majeurs, tant à l'intérieur qu'à l'extérieur du pays. Pas plus qu'un ménage particulier ou qu'une entreprise privée, un gouvernement ne peut supporter de s'endetter indéfiniment pour payer ses dépenses courantes. Tôt ou tard, des mesures restrictives doivent ramener les joueurs économiques à la raison.

16. La Bourse

Nous avons appris qu'il existe une foule d'institutions financières. Mais nous pouvons affirmer sans crainte qu'aucune ne jouit d'autant de prestige mystique que la Bourse des valeurs mobilières. Et pourtant, celle-ci demeure peu connue du grand public.

L'origine des bourses remonte à la naissance des échanges commerciaux organisés. Nées sur la place publique, de la nécessité de négocier les lettres de changes et autres effets de commerce, elles se sont développées pour devenir les institutions modernes que nous connaissons.

Précisons tout de suite que les bourses, bien que fortement réglementées, ne sont pas des institutions gouvernementales. Organismes privés à but non lucratif, elles assument la fonction d'exécuter les transactions de vente et d'achat sur les actions inscrites à leur parquet. Leurs revenus proviennent des cotisations des maisons de courtage qui en sont membres et des frais exigés pour inscrire les actions à la cote. Les principales bourses canadiennes se situent à Montréal, Toronto et Vancouver. Aux Etats-Unis, les plus importantes se retrouvent à New York, San Francisco et Chicago. Ailleurs dans le monde, il faut souligner Londres, Paris et Tokyo ...

Une bourse constitue l'une des applications les plus pures et les plus spectaculaires de la loi de l'offre et de la demande. Imaginez un peu le fonctionnement. A tout moment, des millions d'investisseurs manifestent le souhait d'acheter ou de vendre un titre quelconque. Ils acheminent leurs commandes aux maisons de courtage membres de la Bourse qui les transmettent directement à leurs négociateurs installés sur le parquet.

Dans le cas des marchés de biens et services les plus usuels, il existe d'innombrables points de vente répartis sur un grand territoire. Les acheteurs ne peuvent connaître en tout temps les meilleures conditions qui prévalent dans les commerces. De plus, les produits offerts se différencient parfois fortement par la qualité ou par la quantité offertes, ce qui rend les comparaisons plus difficiles. Il faut également compter les stocks limités disponibles sur place, les délais de livraison et tous autres obstacles qui font que les mécanismes de la concurrence ne jouent qu'imparfaitement.

Dans le cas de la Bourse, tous les acheteurs et tous les vendeurs d'un pays se retrouvent sur le même marché. Par la magie de l'électronique, les ordres et les transactions s'effectuent quasi-instantanément et dans les meilleures conditions de concurrence, au plus offrant. Le produit est simple, homogène, et il n'exige aucun délai de transport. Tout s'y confirme immédiatement, sur place, par un simple coup de fil.

Un marché aussi efficace crée cependant une forte sensibilité aux événements de toutes sortes. Que la rumeur annonce la moindre mauvaise nouvelle et aussitôt les actions des compagnies reliées de près ou de loin à l'événement risquent de s'effondrer sous une avalanche d'ordres de vente. Et comme le décalage est minime entre la décision de l'investisseur et son exécution réelle sur le parquet, il n'existe pas beaucoup de tampons permettant d'atténuer la vague et de refroidir les esprits.

L'un des seuls freins aux mouvements de panique se situe à la maison de courtage qui sert de lien entre les investisseurs et la Bourse. Les courtiers qui en font partie agissent à titre de conseillers personnels auprès de leurs clients. Ils peuvent tempérer les nouvelles et leur donner une interprétation plus juste, à la lumière de leur expertise et des informations complémentaires qu'ils détiennent.

Ce frein tend cependant à s'user avec le développement des moyens de communication de plus en plus perfectionnés et avec l'avènement des maisons de courtage à escompte. Ces dernières, en contrepartie de commissions moindres sur les transactions, se limitent à effectuer sans commentaires les transactions demandées. Leur développement récent s'inscrit dans la tendance générale à la standardisation et à la dépersonnalisation des services financiers, tendance si bien illustrée par l'implantation massive des guichets bancaires automatiques.

L'évolution générale des cours des actions inscrites à la Bourse se mesure à l'aide d'indices. Bien qu'il existe plusieurs façons de calculer les indices, ceux-ci ne reflètent finalement que la moyenne, pondérée ou non par le nombre d'actions, de la valeur marchande d'un groupe ou d'un sous-groupe de titres à divers moments.

Le Dow-Jones est le plus connu et l'un des plus anciens indices boursiers. Il ne représente pourtant que la moyenne arithmétique de trente titres inscrits à la Bourse de New York. Sa réputation lui vient de l'histoire financière américaine et du fait que les compagnies qu'il représente comptent parmi les plus grandes et les plus puissantes du monde. Les indices Standard & Poor's sont également réputés, dont le S&P500 qui représente 500 valeurs inscrites à la Bourse de New York.

Chaque bourse possède ses propres indices permettant de mesurer les actions inscrites à sa cote, tels le TSE300 à Toronto, ainsi que les secteurs particuliers de l'activité économique, tels la série des sept indices X de la bourse de Montréal. Ceux-ci représentent les services bancaires (XCB), les produits forestiers (XCF), les biens d'équipement (XCI), les mines et métaux (XCM), les hydrocarbures (XCO), les services publics (XCU) et l'ensemble du marché (XXM).

17. La reprise de 1983

A la fin de 1983, les grands sorciers de l'économie prennent la température de leur malade. Inflation: 5,8%. Pas mal! Mais ils ne posent pas de diagnostic hâtif et poursuivent l'examen. Produit intérieur brut: hausse de 3,2%; retour au niveau absolu de 1981. Dépenses personnelles en biens et services de consommation: 3,4%. Raisonnable! Investissements des entreprises: aucune augmentation, même une légère baisse. Parfait! Les entrepreneurs demeurent prudents.

Il faut dire que la maladie risquait d'emporter le patient. Aussi, pas question de le remettre sur pied trop rapidement. Les spécialistes poursuivent l'examen. Les ventes de voitures neuves se situent à 843 000 unités. Il faut remonter plus de dix années en arrière pour retrouver un niveau aussi faible. La construction domiciliaire effectue cependant une poussée de 28,8%, à 134 000 logements. Magnifique! Voilà la bonne façon de relancer doucement une économie. Avec des biens durables, utiles, non luxueux. Et puis la construction de maisons produit des effets d'entraînement bien répartis dans tous les secteurs de l'économie.

Par contre, il reste un point noir au tableau, le chômage. L'arrivée massive de nouveaux travailleurs inonde le marché. La population active s'enrichit de 225 000 nouvelles recrues qui avaient retardé leur entrée au moment de la crise. Et l'économie n'a créé que 90 000 nouveaux emplois. En conséquence, le taux de chômage grimpe à 11,9%. Il faut tout de même agir un peu. Surtout que ce sont les jeunes, les moins de 25 ans, que le manque d'emploi frappe le plus durement.

Un dernier coup d'oeil sur l'indice des prix des produits industriels situe ce dernier à une progression de 3,5%, nettement inférieure à l'IPC. On peut se permettre un petit stimulant et fixer le taux d'escompte aux environs de 10%. Voilà qui devrait soutenir les premiers pas du convalescent sans brusquer son rétablissement.

18. Les actions

Lorsque vient une période de reprise comme celle que nous venons de décrire, les petites entreprises entrevoient immédiatement des possibilités de se développer et de prendre de l'expansion. Elles songent donc à élargir leurs installations, acquérir de nouveaux équipements de production et investir dans leur réseau de distribution, leur publicité et leur promotion.

Le financement de ces investissements peut se faire de plusieurs façons. Le propriétaire d'une PME peut puiser les fonds requis à même ses profits accumulés au cours des années précédentes. Mais ses besoins de capitaux excèdent généralement ses disponibilités. Il peut aussi contracter un emprunt auprès des banques ou des nombreuses institutions spécialisées dans les prêts aux entreprises en expansion, ou encore, émettre des obligations.

Ces moyens de financement permettent au propriétaire de conserver le plein contrôle de son entreprise. Mais ils s'accompagnent également de certains inconvénients. L'expansion rapide d'une entreprise constitue une aventure risquée. Les créanciers exigent des garanties à toute épreuve et un rendement élevé en échange du capital de risque qu'ils investissent. De plus, ils posent à l'emprunteur des conditions de remboursement sévères qu'il aura de la difficulté à rencontrer si les affaires ralentissent ou tournent mal.

Devant cette alternative, les entrepreneurs préfèrent souvent céder une partie de leur droit de propriété à des partenaires qui vont accepter de partager avec eux le risque sur un pied d'égalité. Si les affaires vont bien, tout le monde y gagnera; dans le cas contraire, tous perdront dans la même proportion. Car les actions, contrairement aux obligations ou aux autres formes d'emprunt, ne sont pas remboursables au prêteur.

Cette opération de partenariat s'appelle l'émission d'actions. On dit que la compagnie devient publique, car elle offre au grand public d'acheter une partie de ses avoirs. L'acheteur devient un actionnaire et il possède réellement une partie de la compagnie. A ce titre, il participe indirectement à la gestion de l'entreprise en nommant les administrateurs lors des réunions annuelles des actionnaires. Voilà pour la théorie.

En pratique, les propriétaires-émetteurs d'actions tentent par tout les moyens de garder le contrôle absolu de leur entreprise. Ils conservent un bloc d'actions de plus de 50% ou s'assurent que les actions en circulation soient réparties entre un très grand nombre de détenteurs. Connaissant le peu d'intérêt de la majorité des gens pour assister aux réunions annuelles des compagnies, ils peuvent remporter des votes majoritaires avec aussi peu que 20 ou 30% des actions.

Le maintien du contrôle peut également s'assurer par d'autres moyens. Le type d'actions le plus courant est l'action ordinaire. Elle confère généralement un droit de vote à chacun de ses détenteurs. Mais il existe également des actions privilégiées, ne permettant pas aux détenteurs de participer aux décisions. Ou encore des actions subalternes comportant un droit de vote inférieur aux actions ordinaires. Les dirigeants d'une compagnie émettront par exemple des actions subalternes à un seul droit de vote et conserveront pour eux des actions ordinaires avec 10 droits de vote.

Cette dernière pratique tend à se répandre depuis quelques années, surtout dans le cas des PME québécoises qui font des émissions publiques. Elle permet aux fondateurs d'une compagnie, ou à son équipe dirigeante actuelle, de demeurer à la tête de l'entreprise et d'éviter une prise de contrôle par un investisseur venu de nulle part. Il peut être rassurant pour les nouveaux actionnaires de savoir que, malgré l'arrivée de nouveaux partenaires, la compagnie continuera d'être gérée par ceux qui l'ont bâtie et qui détiennent la plus grande expertise dans ce domaine d'affaires.

L'inconvénient de cette formule réside évidemment dans le fait qu'elle ne respecte pas la règle démocratique sacrée d'un vote par action. Tant que le pouvoir demeure concentré aux mains des actionnaires les plus compétents et les plus motivés, tout va bien. Mais lorsque ceux-ci décident de se retirer ou de vendre leur participation à d'autres intérêts, les actionnaires subalternes ne se sont pas toujours assurés d'un traitement parfaitement équitable.

Il existe divers autres types d'actions: participantes, privilégiées avec droit de vote, rachetables, à dividende cumulatif, convertibles, remboursables par anticipation, à taux variable... Chacune représente un type de placement correspondant à un besoin de financement particulier d'une compagnie et à un goût du risque spécifique des investisseurs. Et, on le devine, une action comportant des droits de vote inférieurs aux actions ordinaires offrira à son détenteur des privilèges spéciaux.

Comment s'établit la valeur d'une action transigée à la bourse? Son prix repose essentiellement sur deux facteurs, la capacité pour la compagnie de générer des profits et la confiance des investisseurs.

Pour qu'une action trouve preneur sur le marché, elle doit offrir à son acheteur un rendement espéré supérieur aux autres véhicules de placement. Pourquoi investir dans des actions dont les cours fluctuent considérablement alors que l'on peut détenir des obligations d'épargne garantissant un revenu certain? Pour deux raisons. D'abord à cause d'un éventuel dividende qui offrira un rendement annuel généralement inférieur aux autres formes de placements plus sûres. Mais surtout en raison de la possibilité d'un gain de capital, c'est-à-dire d'une augmentation de la valeur au marché de l'action par rapport à son prix d'achat.

Ces deux éléments, dividendes ou gain de capital, dépendent essentiellement des bénéfices de la compagnie. Celle-ci peut décider d'en donner une partie à ses actionnaires sous forme de dividendes, ce qui leur assure un revenu régulier, ou de les réinvestir dans son entreprise, ce qui provoque une augmentation de ses avoirs nets et entraîne une appréciation de sa valeur au marché.

Cependant, cette règle ne s'applique pas toujours parfaitement à court et à moyen terme. Le marché des actions en est un de confiance, d'espoir et d'anticipation. Bien plus que les bénéfices actuels, ce sont les profits ou les pertes futures d'une compagnie qui déterminent le cours au marché de ses actions. Il suffit, pour s'en convaincre, d'observer quelques ratios financiers usuels.

En divisant le prix au marché d'un titre boursier par le bénéfice exprimé en dollars par action, nous obtenons une mesure appelée le ratio cours/bénéfices. Celui-ci sert de baromètre populaire pour évaluer les actions. Dans certains cas, il peut atteindre des sommets démesurés de 30, 50 ou même 200, traduisant ainsi la confiance des investisseurs que les profits de cette entreprise vont augmenter considérablement au cours des prochaines années. Pour d'autres compagnies, il se maintient péniblement en dessous de 10 et glisse parfois à 4 ou 5, reflétant un manque total de confiance dans l'avenir de ces entreprises.

Ce seul ratio ne permet pas de connaître la situation financière exacte d'une compagnie. Il faut, pour cela, lire ses états financiers, considérer son endettement et ses liquidités, connaître la valeur de son équipe de gestion, tenir compte de sa capacité de faire face à ses concurrents et de tous les autres facteurs qui peuvent influencer ses bénéfices actuels et futurs.

Mais il faut surtout se rappeler qu'à un moment donné, une action transigée en bourse ne vaut jamais plus que ce qu'un acheteur accepte de payer pour l'acquérir. Cette perception que les investisseurs se font de la valeur d'une action détermine tous les mouvements boursiers. Lorsque les acheteurs craignent l'arrivée d'une récession qui fera baisser les bénéfices des compagnies, ils vendent leurs actions et dirigent leurs capitaux vers des placements plus sûrs offrant de meilleures garanties de rendement. L'imminence d'une reprise économique produit le mouvement contraire, propulsant les ratios cours/bénéfices vers de nouveaux sommets.

Toutes ces décisions se prennent souvent dans un climat d'euphorie ou de panique caractéristique des places boursières. Et surtout, elles s'appuient sur des anticipations, en prévision de ce qui arrivera. Avec toutes les chances de se tromper que cela comporte.

19. Une bonne action

1983, quelle bonne année pour notre portefeuille! En plus des intérêts reçus sur notre compte d'épargne et sur nos diverses obligations, nous avons réalisé le gain en capital prévu.

En effet, les taux d'intérêt ont légèrement reculé. Comme nos obligations du Canada demeurent valables jusqu'en 2001, leur prix s'est fortement réajusté à la hausse, pour refléter le taux courant du marché. De 656$ à l'achat, elles valent maintenant 881$, pour un rendement annuel de 10,8%. Le gain en capital se situe à près de 1 500$.

Cette réussite nous pousse à chercher d'autres aubaines. Peut-être devrions-nous tenter une poussée du côté de la bourse? D'ailleurs, l'économie ne connaît-elle pas une reprise? L'espoir de nouveaux gains en capital emporte la décision. Nous choisissons donc de vendre, malgré leur rendement très élevé à 14% l'an, une partie de nos obligations d'épargne.

Mais nous demeurons prudents. Notre choix boursier se porte sur 500 actions de la Banque Nationale. Après tout, les banques ne représentent-elles pas une des institutions les plus solides du pays?

Ces transactions portent notre capital net à

14 253$, pour une appréciation totale de 42,5% depuis 1981.

Transactions	1983			
Transactions	**Qté**	**Prix**	**Total $**	**Caisse $**
Encaisse (compte d'épargne, 1 an, 12%)				1 620
Intérêts reçus sur compte d'épargne			194	1 815
Intérêts reçus sur obligations d'épargne	5 @	140,00	700	2 515
Vente d'obligations d'épargne	3 @	1 000	3 000	5 515
Intérêts sur oblig. Canada 9,5% Oct 2001	7 @	95,00	665	6 180
Achat actions ordinaires Banque Nationale	500 @	6,25	3 219	2 961

Portefeuille	1983		
Valeurs sûres	**Qté**	**Coût à l'achat**	**Valeur au marché**
Obligations d'épargne du Canada (14%)	2	2 000	2 000
Obligations Canada 9,5 % Oct 2001	7	4 730	6 167
Encaisse (compte d'épargne, 1 an, 9,5%)		2 961	2 961
Sous-total		**9 691**	**11 128**
Titres supérieurs			
Actions Banque Nationale	500	3 219	3 125
Sous-total		**3 219**	**3 125**
Total		**12 909**	**14 253**
Mise de fonds initiale et augmentation depuis 1981 (%)		**10 000**	**42,5**

L'expansion

20. Les valeurs à terme

Et maintenant, jouons un peu avec un dernier grand véhicule de placement, les **valeurs à terme**. Mais avant, comprenons leur mécanique toute simple à l'aide d'un exemple.

Vous possédez une PME qui fabrique des comptoirs en aluminium. Vous maintenez en tout temps un important stock de ce métal. Actuellement, cela ne pose aucun problème car le prix de la feuille d'aluminium demeure bas. Mais en suivant les journaux financiers, vous réalisez que la demande progresse rapidement et que les prix risquent de s'accroître à moyen terme. Que faire pour vous protéger de cette augmentation prévue et pour vous garantir un approvisionnement au prix actuel?

Il suffit, vous le devinez, d'acheter une valeur à terme qui vous permettra de vous procurer à la date voulue, la quantité requise au prix actuel. Bien sûr, une autre personne devra s'engager à payer la différence entre le prix actuel et celui qui aura cours au moment de votre achat. Et cette personne exigera une compensation en retour de ce risque.

De manière générale, une valeur à terme consiste en un contrat qui lie deux parties. Une première, l'émetteur, qui accepte de prendre un risque calculé sur la valeur future d'un bien, d'un titre ou d'une denrée. Et une seconde, l'acheteur, qui préfère payer immédiatement une prime afin de connaître avec certitude les conditions financières qui lui seront appliquées plus tard. Entre ces deux intermédiaires se situe un courtier spécialisé qui organise la transaction et assure son respect.

La prime exigée par l'émetteur varie considérablement selon le risque couru et aussi selon sa situation particulière. Dans l'exemple précédent, il se peut que l'émetteur détienne réellement d'importants stocks d'aluminium. Il doit alors poser lui aussi un jugement sur l'avenir des prix du métal. Vaut-il mieux accepter le cours actuel pendant plusieurs mois ou bien espérer des prix en hausse plus tard? Et alors courir le risque d'une baisse du prix?

L'émission de contrats à terme, on le voit, ne s'adresse pas aux amateurs. Elle exige de bien connaître le marché des valeurs dans lequel on évolue, de se prémunir des soubresauts de l'économie, de prévoir les mouvements de panique et de pouvoir couvrir ses contrats en tout temps. En raison de ces facteurs, les primes des contrats à terme fluctuent rapidement, au jour le jour et même d'heure en heure. La moindre nouvelle positive ou négative propulse les prix à la hausse ou entraîne une dégringolade majeure.

Pris dans un sens large, les contrats à terme les plus accessibles aux investisseurs boursiers sont les bons de souscription ou *warrants* et les options sur actions.

Un bon de souscription constitue un droit d'acheter des actions directement d'une compagnie, à un prix donné, pour une période de temps souvent prolongée. Le titre est émis par la compagnie elle-même et il se transige à la bourse, tout comme ses actions. Sa valeur dépend des conditions d'exercice qui lui sont attachées. Son cours sera d'autant plus élevé qu'il permettra d'acheter les actions à un prix avantageux par rapport au marché, que sa durée sera prolongée et que la compagnie en question offrira des perspectives d'avenir intéressantes.

Les options s'accompagnent de caractéristiques semblables, mais leur durée ne dépasse pas une année. On distingue les options d'achat ou *call* et les options de vente ou *put*. Elles peuvent être émises par tout investisseur, et non pas seulement par la compagnie sur laquelle elles portent, comme dans le cas des bons de souscription.

Une option de vente libellée *Titre XYZ, 22$, juin 1988* permet ainsi à son détenteur d'acheter 100 actions XYZ au prix de 22$ en tout temps jusqu'en juin 1988. Une mécanique assez complexe fixe tous les détails de ce marché: dates d'exercice, émissions, achat et vente, titres éligibles, identification des émetteurs qui doivent respecter les options exercées, etc.

Il importe de prendre conscience que les valeurs à

terme constituent avant tout un important outil de planification financière et économique. Elles permettent aux investisseurs et aux producteurs de diminuer les risques à court et à moyen terme et de maximiser le rendement de leurs avoirs.

Dans bien des cas, des individus audacieux utilisent ces véhicules de placements à des fins strictement spéculatives. Un exemple typique consiste à émettre un droit d'achat à un autre investisseur, sans détenir les titres correspondant à son exercice éventuel. Cela signifie que pendant toute la durée de l'option, l'émetteur s'engage à livrer à l'acheteur, sur demande, les actions promises.

Si le cours du titre sur le marché ne dépasse pas le prix d'exercice, l'émetteur empoche la prime qu'il a reçue pour son risque. Si, par contre, l'action monte en flèche, l'acheteur exige la livraison des titres afin de les revendre avec profit sur le marché. En réalité, un mécanisme de compensation évite généralement d'effectuer les transactions réelles sur les actions en question. Mais il oblige l'émetteur à payer un montant équivalent en argent et assure à l'acheteur la réalisation de son profit.

21. L'expansion de 1984

En 1984, la croissance du produit intérieur brut (PIB) oscille autour de 6%. Une telle poussée ne s'est pas vue depuis une dizaine d'années. Et malgré cela, l'indice des prix à la consommation voit sa progression ralentir à 4,3% contre 5,8% l'année précédente.

La forte augmentation du PIB s'explique en partie par les dépenses personnelles de consommation qui progressent de 4,3%. Les consommateurs reprennent graduellement confiance en l'avenir. Les ventes de voitures neuves augmentent, mais de façon modérée, à 971 000 unités pour l'année. Quant à la construction domiciliaire, elle marque une pause et revient à son niveau de 1982, à un peu plus de 100 000 logements.

Les investissements des entreprises en capital fixe ne s'accroissent que de 1,1%, ce qui signifie que les équipements de production actuels suffisent à la tâche. On recommence à utiliser la capacité en place; les ajouts viendront plus tard. En attendant, l'économie ne subit pas de pressions trop fortes du côté de la demande d'équipements.

Même le chômage commence à se résorber. La tendance à la hausse s'est inversée et le taux glisse de 11,9% à 11,3%. Le pire est passé. Cette amélioration se manifeste en dépit de plus de

215 000 nouveaux travailleurs qui se joignent à la population active. Ceux-ci ont été absorbés par une création d'emplois encore supérieure, soit près de 270 000.

Avec toutes ces bonnes nouvelles, inutile de stimuler outre-mesure une économie qui se rétablit d'elle-même. Il faut au contraire craindre un nouvel échauffement et maintenir le taux d'escompte autour de son niveau de 10%.

22. La diversification

Nous venons de voir qu'en 1984, les autorités gouvernementales craignent de relancer l'économie trop rapidement. A la mi-année, les taux d'intérêt remontent légèrement. La valeur au marché de nos obligations canadiennes se voit réduite à 754$, alors qu'elle était à 881$ une année auparavant. De plus, nos actions de la Banque Nationale, payées 6,25$, glissent à 5,63$, poussées par des bénéfices moindres que prévus.

Ce premier revers mineur ne nous décourage aucunement. Au contraire! Le souci de l'État d'empêcher une nouvelle poussée de l'inflation rassure. La reprise n'en sera que plus forte, et l'expansion plus durable ensuite.

Poursuivons nos placements boursiers, mais cette fois-ci, nous allons choisir des actions plus sensibles aux cycles économiques. Les banques, en effet, adoptent souvent un comportement anti-cyclique. Tout comme d'autres secteurs essentiels de l'économie, tels que l'alimentation ou les services publics. Ces titres constituent des valeurs refuges durant les périodes de creux économique. Lorsque l'expansion revient, par contre, leurs cours ne s'apprécient pas autant que l'ensemble des actions industrielles.

Notre choix demeure cependant prudent. Il se

porte d'abord sur 800 actions ordinaires de Power Corporation. Ce **holding** (*société qui contrôle plusieurs autres compagnies*) très diversifié suivra certainement une éventuelle tendance à la hausse.

Nous misons également sur 600 actions Bombardier, classe A. Ce placement représente une décision un peu plus osée, que nous ne pouvons classer dans les valeurs supérieures. Cette compagnie québécoise est cependant dirigée par une équipe de gestion jeune et dynamique. De plus, elle cherche à diversifier ses activités dans le domaine des véhicules de loisirs et de transport. Deux domaines prometteurs pour l'avenir.

Notre portefeuille affiche maintenant une progression nette de 41,2%, légèrement en recul par rapport à l'an dernier.

Transactions	**1984**			
Transactions	**Qté**	**Prix**	**Total $**	**Caisse $**
Encaisse (compte d'épargne, 1 an, 9,5%)				2 961
Intérêts reçus sur compte d'épargne			281	3 242
Intérêts sur oblig. Canada 9,5% Oct 2001	7 @	95,00	665	3 907
Dividendes reçus sur Banque Nationale	500 @	0,15	75	3 982
Intérêts reçus sur obligations d'épargne	2 @	140,00	280	4 262
Vente d'obligations d'épargne	2 @	1 000	2 000	6 262
Vente Obligations Canada 9,5 % Oct 2001	2 @	754	1 463	7 725
Achat actions ord. Power Corp	800 @	4,85	3 996	3 729
Achat actions ord. Bombardier	600 @	4,25	2 627	1 102

Portefeuille	**1984**		
Valeurs sûres	**Qté**	**Coût à l'achat**	**Valeur au marché**
Obligations Canada 9,5 % Oct 2001	5	3 378	3 770
Encaisse (compte d'épargne, 1 an, 10,25%)		1 102	1 102
Sous-total		**4 480**	**4 872**
Titres supérieurs			
Actions Banque Nationale	500	3 219	2 815
Actions Power Corp.	800	3 996	3 880
Sous-total		**7 215**	**6 695**
Titres de bonne qualité			
Actions ord. Bombardier	600	2 627	2 550
Sous-total		**2 627**	**2 550**
Total		**14 322**	**14 117**
Mise de fonds initiale et augmentation depuis 1981 (%)		**10 000**	**41,2**

23. Les échanges internationaux

Jusqu'ici, nous avons surtout traité du comportement des économies en circuit fermé, à l'intérieur d'un même pays. En réalité, nous savons que de nombreux échanges interviennent entre les nations du monde. Nous allons nous pencher un peu sur le fonctionnement du commerce international et sur le jeu des monnaies.

Les échanges internationaux s'appuient sur une notion de spécialisation régionale semblable à celle qui prévaut à l'intérieur d'un territoire national. Pourquoi, par exemple, l'industrie automobile canadienne se concentre-t-elle en Ontario, tandis que l'industrie du papier journal se retrouve majoritairement au Québec?

Dans le premier cas, cela résulte principalement de la proximité du Sud ontarien avec le complexe industriel de Détroit. C'est là qu'est née l'industrie automobile nord-américaine et qu'elle s'est étendue en rayonnant vers des zones géographiques peu éloignées qui n'entraînaient pas de coûts de transport trop élevés. Quant à la spécialisation québécoise dans l'industrie papetière, elle s'explique tout simplement par la présence abondante des ressources forestières nécessaires à cette industrie.

A ces facteurs principaux s'ajoutent également

beaucoup d'autres raisons, telles que des décisions politiques, des impératifs de développement régional, l'initiative et le dynamisme humains, la présence de voies navigables ... Il arrive même souvent que les mobiles originaux qui ont motivé la spécialisation d'un territoire disparaissent avec les années. Le phénomène de concentration risque alors de s'effriter graduellement. Mais il peut aussi très bien durer pendant encore des décennies pour d'autres motifs nouveaux ou tout simplement par habitude économique.

Le même raisonnement s'applique aux échanges internationaux. Le Canada met ainsi en valeur son immense réservoir de richesses naturelles, ce qui entraîne des exportations principalement orientées vers les matières premières et l'énergie. D'autre part, ses importations se composent surtout de produits manufacturés.

La situation inverse s'applique au Japon. Se voyant contraint d'importer la plupart de ses matières premières, ce pays a développé au maximum ses talents manufacturiers, ce qui lui permet d'exporter ses produits finis à travers le monde.

Chaque pays exporte ainsi ses ressources propres pour se procurer en échange les biens qui lui manquent. Et lorsque les richesses matérielles se font rares, une nation peut chercher à exploiter des services plutôt que des marchandises. C'est la cas de la Suisse qui vend ses services financiers dans le monde entier, ou des pays de soleil qui mettent en valeur leurs sites vacanciers.

Tous ces échanges s'effectuent à l'aide des monnaies, que l'on qualifie de devises étrangères, car nous devons ici tenir compte de la monnaie de plusieurs pays à la fois.

Les échanges internationaux s'effectuent dans la devise du pays vendeur. L'achat d'une télévision japonaise doit se payer en yens; d'une automobile allemande, en deutch marks, d'un voyage en Floride, en dollars US, d'une tonne d'aluminium en dollars Can. Il s'ensuit que les monnaies s'achètent et se vendent comme un bien ordinaire, en étant soumises aux lois de l'offre et de la demande.

En raison de l'importance majeure des Etats-Unis dans l'histoire économique contemporaine, la devise US est devenue l'étalon de référence le plus usuel pour exprimer la valeur des autres monnaies. Le yen, le franc, la livre sterling, jusqu'aux monnaies les plus exotiques, s'affichent quotidiennement en dollars US. Celui-ci constitue également une devise universellement acceptée pour les règlements internationaux, au même titre que l'or. Cela reflète la confiance générale des pays dans la puissance de l'économie américaine.

Car la valeur d'une monnaie dépend avant tout de la santé économique de la nation qui l'émet. Qui voudrait conserver dans ses coffres les devises de petits pays aux économies chancelantes? Qui peut assurer leur détenteur de la valeur future de cette monnaie, de sa capacité d'être acceptée en tout temps contre des biens et services? Tandis que le dollar US, le yen ou le deutch mark symbolisent des économies fortes et productives qui inspirent confiance en l'avenir.

Cette notion de confiance explique d'ailleurs les fluctuations périodiques du taux de change entre les monnaies. On peut dire que la valeur relative des monnaies s'établit en fonction de la solidité économique comparée des pays qu'elles représentent. Prenons l'exemple des États-Unis et du Japon.

Les biens fabriqués au Japon se sont graduellement acquis, au cours des vingt-cinq dernières années, une réputation mondiale de qualité supérieure. Les coûts de production de ces produits demeurent peu élevés car les Japonais travaillent fort et bien. Leurs salaires progressent lentement. Toutes les nations du monde achètent donc dans ce pays leurs automobiles, leurs appareils électroniques, leurs navires, leurs trains et bientôt leurs ordinateurs. Pour payer ces achats, ils doivent se procurer des yens qui s'apprécient au gré de la demande.

Du côté des États-Unis, la situation tend plutôt à se détériorer. Les produits n'y possèdent plus cette réputation de qualité qui faisait jadis l'envie de tous. Leurs coûts de production gonflent sans cesse sous la pression des salaires élevés et des heures de travail limitées. La demande mondiale de biens et services américains tend donc à ralentir, entraînant également une demande moindre pour la devise US qui voit son cours s'effriter.

En fin de compte, le jeu des changes constitue un mécanisme d'ajustement permanent entre les économies des pays. A mesure que le dollar US perd sa valeur face au yen, les produits japonais deviennent de plus en plus chers pour les américains et inversement, les produits américains sont rendus plus accessibles aux Japonais.

Multiplions cet exemple par plus de cent pays. Ajoutons les facteurs psychologiques, les gestes sournois des spéculateurs sur devises, les liens économiques particuliers entre certains pays, les réactions excessives des milieux financiers, les mouvements de capitaux internationaux, les économies socialistes, la situation particulière des pays quant à l'inflation et aux déficits budgétaires, le jeu des taux d'escompte ... Et nous obtenons les cours quotidiens des devises étrangères.

Mais au delà de tous ces facteurs, il faut retenir que la valeur d'une devise repose avant tout sur la santé économique d'un pays et que celle-ci ne peut venir que de la qualité de sa population, de son ingéniosité, de son ardeur au travail et de sa capacité d'ajuster son niveau de vie à ses moyens du moment.

24. L'économie en 1985-1986

La période 1985-1986 représente pour le Canada des années typiques d'une phase d'expansion contrôlée. Le PIB s'accroît successivement de 4,3% et 3,3%, tandis que l'inflation continue de ralentir sa course, se maintenant à des progressions annuelles de 4,0% et 4,1%.

Entraînée par des baisses régulières du taux d'escompte, jusqu'à 8,5% à la fin de 1986, et n'ayant pas à subir de pressions trop fortes de la part des emprunteurs, la structure des taux d'intérêt revient à des niveaux jugés plus acceptables.

Les hypothèques cessent d'être considérées comme un luxe prohibitif, relançant la construction domiciliaire vers 140 000, puis 170 000 unités en 1986. Quoiqu'en-deçà des niveaux de la décennie 1970, ce chiffre annuel représente une activité très forte, compte tenu de la situation démographique actuelle du pays.

Les ventes de voitures particulières neuves battent des records de tous les temps, se situant bien audessus du million pendant deux années de suite. La valeur du commerce de détail bondit en 1985 de plus de 11%, puis de 8,2% en 1986.

Rassurées par la demande croissante et encouragées par des conditions de financement adoucies, les entreprises reprennent leurs investissements en capital fixe et les augmentent de 7,9% en 1985 et de 6,2% l'année suivante.

Le baromètre se maintient au beau fixe. Les augmentations de salaires demeurent modestes et les heures de travail s'allongent. Les travailleurs et leurs syndicats ne sont pas encore remis de la récession. Le taux de chômage continue de s'améliorer, descendant en 1986 sous la barre de 10% pour la première fois depuis quatre ans.

De leur côté, les entrepreneurs tentent de maintenir l'expansion et limitent la progression de leurs bénifices: +4,6% en 1985; -4,9% en 1986. Malgré cette performance modeste, le cours des actions industrielles canadiennes s'apprécie de plus de 30% en deux ans. Les bonnes années s'en viennent et les financiers le savent.

25. Un peu d'audace

En 1985, notre portefeuille affiche une performance très encourageante. L'expansion de l'économie commence à faire sentir ses effets positifs sur chacun de nos placements.

La baisse du taux d'escompte s'est immédiatement répercutée sur l'ensemble des taux d'intérêt au pays. Nos obligations canadiennes atteignent un sommet de 924$, pour un gain en capital de plus de 40% par rapport à leur prix d'achat de 656$. Nous profitons de cette occasion pour vendre deux coupures et obtenir ainsi de nouvelles liquidités en vue d'acroître nos investissements boursiers.

Du côté des actions, tous nos titres progressent rapidement. En plus des dividendes qui s'accumulent, les gains en capital se révèlent au-dessus de nos attentes: 56 % avec Banque Nationale; 78% avec Power Corp.; 58% avec Bombardier. Et tout cela en moins d'un an.

Ces résultats hors de l'ordinaire nous incitent à conserver tous nos placements boursiers. Nous décidons même d'élargir notre portefeuille vers un titre un peu plus risqué, la compagnie Cascades. Cette entreprise oeuvre dans des domaines très spécialisés reliés au papier et à l'emballage.

Son équipe de gestion semble d'un dynamisme à toute épreuve et laisse entrevoir des perspectives de croissance alléchantes.

Notre portefeuille opère depuis quatre ans. Commencé avec un capital de 10 000$, il vaut actuellement 22 815$, soit une appréciation totale de 128,2%.

Transactions	1985			
Transactions	**Qté**	**Prix**	**Total $**	**Caisse $**
Encaisse (compte d'épargne, 1 an, 10,25%)				1 102
Intérêts reçus sur compte d'épargne			113	1 215
Intérêts sur oblig. Canada 9,5% Oct 2001	5 @	95,00	475	1 690
Dividendes reçus sur Banque Nationale	500 @	0,37	185	1 875
Dividendes reçus sur Power Corp	800 @	0,21	168	2 043
Dividendes reçus sur Bombardier	600 @	0,00	0	2 043
Vente Obligations Canada 9,5 % Oct 2001	2 @	924	1 793	3 836
Achat actions ord. Cascades	900 @	3,34	3 096	739

Portefeuille	1985		
Valeurs sûres	**Qté**	**Coût à l'achat**	**Valeur au marché**
Obligations Canada 9,5 % Oct 2001	3	2 027	2 772
Encaisse (compte d'épargne, 1 an, 8,25%)		739	739
Sous-total		**2 766**	**3 511**
Titres supérieurs			
Actions Banque Nationale	500	3 219	5 030
Actions Power Corp.	800	3 996	7 104
Sous-total		**7 215**	**12 134**
Titres de bonne qualité			
Actions ord. Bombardier	600	2 627	4 164
Sous-total		**2 627**	**4 164**
Titres secondaires ou spéculatifs			
Actions ord. Cascades	900	3 096	3 006
Sous-total		**3 096**	**3 006**
Total		**15 704**	**22 815**
Mise de fonds initiale et augmentation depuis 1981 (%)		**10 000**	**128,2**

26. Le portefeuille explose

Déjà 1986! On trouve bien peu à dire lorsque l'économie se porte si bien. L'expansion continue entraîne notre portefeuille vers un incroyable sommet de 47 943$. Le gain total depuis 1981 atteint 379%. Peut-on espérer de meilleurs résultats?

Voyons un peu la source de ces gains. Tous les compartiments de notre portefeuille se comportent à merveille. La valeur des titres supérieurs a triplé en moins de trois ans. Même résultat pour nos actions Bombardier, classées dans les valeurs de bonne qualité.

Mais la progression la plus spectaculaire provient de la section spéculative. Nous avions misé sur Cascades et notre audace se voit récompensée. Le prix de ces actions s'est multiplié par cinq en douze mois. Choisissons rapidement d'autres entreprises québécoises qui ne manqueront pas de suivre la trace de ce leader.

Notre choix se porte sur Unigesco et Vidéotron. La première compagnie constitue un *holding* qui envisage de nombreuses et profitables acquisitions. La seconde opère dans le domaine de la télévision par câble, secteur en forte expansion au Québec.

Pour financer ces achats, nous vendons les trois obligations canadiennes qui occupaient notre compartiment de valeurs sûres. Leur prix dépasse maintenant leur valeur nominale et nous en obtenons 1 050$ chacune.

Pour profiter au maximum de la chance qui passe, nous allons également accroître notre capacité d'investir en ouvrant un compte sur marge. Ce type de compte permet d'acheter des actions sans les payer au complet. Les sociétés de courtage acceptent en effet, sous certaines conditions, de financer une partie de la valeur au marché des actions détenues par les investisseurs. Le crédit peut généralement couvrir jusqu'à 50% de la valeur des actions.

A ce sujet, il faut bien comprendre que le financement consenti porte sur la valeur au marché d'un titre, et non sur son prix d'achat. Prenons un exemple. Vous achetez une action valant 20$. Vous payez immédiatement la moitié de l'achat, soit 10$, et vous contractez une dette d'un montant égal auprès de la firme de courtage. Mais en tout temps, cette dette ne peut dépasser la moitié de la valeur au marché de votre titre.

Si le prix de l'action baisse à 12$, le financement par la maison de courtage recule à 6$, soit 50% de la valeur au marché. Vous devez alors rembourser la différence de 4$ entre votre dette originale de 10$ et le crédit permis de 6$.

Cette opération par laquelle vous êtes appelé à

rembourser une partie de votre créance se nomme un rappel de marge et est exigible immédiatement. Si vous ne pouvez couvrir le montant, le courtier se rembourse en vendant au marché le titre qu'il a conservé en garantie. Et vous essuyez la perte.

Si, au contraire, le prix de votre action grimpe à 30$, votre capacité de crédit associée à ce titre augmente également, puisqu'elle équivaut en tout temps à la moitié de sa valeur marchande. Vous obtenenz ainsi une possibilité de financement de 15$.

Nous nous contenterons, dans un premier temps, d'une marge de quelques milliers de dollars. Le temps de nous familiariser avec cette technique de financement et de voir évoluer le marché.

Transactions	**1986**			
Transactions	**Qté**	**Prix**	**Total $**	**Caisse $**
Encaisse (compte d'épargne, 1 an, 8,25%)				739
Intérêts reçus sur compte d'épargne			61	800
Intérêts sur oblig. Canada 9,5% Oct 2001	3 @	95,00	285	1 085
Dividendes reçus sur Banque Nationale	500 @	0,29	145	1 230
Dividendes reçus sur Power Corp	800 @	0,33	264	1 494
Dividendes reçus sur Bombardier	600 @	0,38	228	1 722
Vente Obligations Canada 9,5 % Oct 2001	3 @	1 050	3 056	4 778
Achat actions Unigesco	800 @	6,00	4 944	-166
Achat actions Vidéotron	400 @	13,50	5 562	-5 728

Portefeuille	**1986**		
Valeurs sûres	**Qté**	**Coût à l'achat**	**Valeur au marché**
Emprunt sur marge (9,5%)		-5 728	-5 728
Sous-total		**-5 728**	**-5 728**
Titres supérieurs			
Actions Banque Nationale	500	3 219	7 000
Actions Power Corp.	800	3 996	14 904
Sous-total		**7 215**	**21 904**
Titres de bonne qualité			
Actions ord. Bombardier	600	2 627	6 492
Sous-total		**2 627**	**6 492**
Titres secondaires ou spéculatifs			
Actions ord. Cascades	900	3 096	15 075
Actions ord. Unigesco	800	4 944	4 800
Actions ord. Vidéotron	400	5 562	5 400
Sous-total		**13 602**	**25 275**
Total		**17 716**	**47 943**
Mise de fonds initiale et augmentation depuis 1981 (%)		**10 000**	**379,4**

Avenir et incertitude

27. Prédire et prévoir

En amorçant cette dernière partie, revenons un peu sur les médias d'informations. Ceux-ci jouent des rôles multiples auprès de leurs lecteurs et auditeurs. Le premier consiste à rapporter des faits, raconter un événement, dire ce qui s'est réellement passé. Présenter des résultats, des chiffres, des données. Les journalistes réussissent à accomplir ce travail avec brio, sans trop fausser la réalité. Après tout, un fait demeure un fait!

Mais les professionnels de l'information, tout autant que ceux qui les écoutent, se lassent rapidement d'une litanie d'événements souvent banals. Pour cette raison, ils y ajoutent leurs analyses personnelles ou celles d'autres spécialistes de la question du jour, toutes susceptibles d'enrichir la nouvelle et de lui donner un peu de corps. Déjà, l'on commence à s'éloigner de l'information objective au profit du commentaire et de l'opinion. Cela suffit-il? Pas encore!

Car une fois les faits rapportés et bien analysés, une question revient toujours dans la tête de chacun: que nous réserve l'avenir? Les astrologues ont compris très tôt cette quête éternelle de l'humanité: chercher à savoir ce qui lui arrivera demain. Et ils l'exploitent habilement depuis le début des temps.

Le domaine de l'économie et de la finance n'échappe pas à cet incessant questionnement. Les réponses viennent de toutes parts: journalistes spécialisés, centres de recherche privés et publics, conseillers en placement, économistes, politiciens, investisseurs, gens de la rue. Tout le monde s'en mêle, avec plus ou moins de bonheur.

Penchons-nous froidement sur la question. Est-il déjà arrivé qu'un événement économique, politique ou social majeur puisse être prévu à l'avance et avec exactitude? Une guerre? Une crise économique? Un krach? Jamais!

Cette réflexion nous amène à faire la distinction entre deux notions, les prévisions et les prédictions.

Les prévisions appartiennent surtout au bagage des économistes. Dans cette profession, une prévision peut se présenter de deux façons. Elle prend d'abord la forme d'un énoncé général du type *"la période d'expansion actuelle sera probablement suivie d'une période de ralentissement ou de récession plus ou moins prononcée, à moins que..."*. Aussi bien dire que le beau temps ne durera pas éternellement et que, tôt ou tard, nous aurons un peu ou beaucoup de pluie. Il s'avère difficile de prendre une décision financière, même la plus insignifiante, à partir de telles affirmations.

La deuxième forme de prévision des économistes

prend des engagements précis: *"le taux de croissance de l'économie canadienne en 1988 se situera à 2,8%"*. Cette affirmation catégorique s'appuie évidemment sur quelques centaines de pages d'hypothèses qui doivent toutes se réaliser à la lettre pour que la prévision tienne. Ridicule? Pas du tout!

En réalité, cette forme de prévision reconnaît tout simplement la formidable complexité de la réalité économique et l'impossibilité de prévoir l'avenir avec précision. Le futur, il faut le reconnaître, dépend d'une série d'événements naturels ou de décisions politiques. Même les responsables qui doivent prendre ces décisions ne peuvent dire à l'avance de quel côté ils pencheront le moment venu.

Lorsqu'une personne s'aventure à prévoir l'avenir sans s'appuyer sur une logique économique implacable et sans soutenir son énoncé de conditions restrictives précises, nous disons qu'elle se livre à des prédictions plutôt qu'à des prévisions. En fait elle émet bien plus un souhait intéressé qu'un jugement sûr et raisonné sur le futur.

Doit-on qualifier ces gens de charlatans? Non! Le dirigeant politique qui prédit que l'économie se portera certainement mieux l'an prochain ne répond en fait qu'au besoin de la population d'être rassurée quant à l'avenir. Il cherche à maintenir et accroître la confiance, élément essentiel à une économie saine. Et le courtier qui affirme que les cours boursiers repartiront à la hausse, ne joue-t-il pas le même rôle auprès de ses clients qui le questionnent comme s'il était devin?

En fin de compte, les émetteurs de prédictions ne font qu'énoncer des opinions personnelles. Ou pis encore, harrassés de questions pour lesquelles ils ne possèdent pas de réponse, ils livrent à leurs interlocuteurs avides, la réplique que ceux-ci veulent absolument recevoir. Et tout le monde s'en trouve rassuré et satisfait.

28. L'avertissement

En juin 1987, l'état de notre portefeuille n'a pas beaucoup changé par rapport à l'année dernière. Nous avons bien perdu quelques milliers de dollars, mais notre capital demeure très élevé. Que faut-il faire maintenant? Attendre? Vendre?

Nous ne voyons aucune raison de nous départir de l'ensemble de nos actions. L'économie affiche une excellente santé. L'inflation demeure sous contrôle et les taux d'intérêt se maintiennent à des niveaux expansionnistes.

Bien sûr, certains titres semblent plafonnés. Dans plusieurs cas, ils se sont appréciés de 300 à 500% en moins de 24 mois. Il suffit maintenant d'en ajouter de nouveaux qui possèdent encore le potentiel de grimper vers les sommets.

Notre choix se porte d'abord sur Ordinateurs Hypocrat. L'informatique, voilà une valeur à la mode! Ce titre ne moisira pas longtemps à 3,00$. Allons-y pour le grand coup, avec 5 000 actions.

Ensuite, pour donner encore plus de punch à notre portefeuille, nous y ajoutons 3 000 bons de souscription de la Banque Royale. Deux bons permettent d'acheter, jusqu'en juin 1988, une action de la Banque Royale à 40$. Le cours de ce titre se situe actuellement aux environs de 34$. Mais d'ici un an, avec le marché haussier que nous connaissons, il aura tôt fait de s'apprécier. L'effet se répercutera sur les bons de souscription dont la valeur peut facilement se multiplier par quatre ou cinq, à la suite d'une hausse de seulement 20% du prix de l'action.

Nous financerons en partie ces achats par la vente de nos actions de la Banque Nationale. Le reste sera couvert par l'accroissement de notre marge de crédit. Il ne reste plus maintenant qu'à attendre patiemment la poursuite de notre enrichissement. A quand le premier 100 000$?

Transactions	**Juin 1987**			
Transactions	**Qté**	**Prix**	**Total $**	**Caisse $**
Emprunt sur marge (9,5%)				-5 728
Intérêts payés sur marge			544	-6 272
Dividendes reçus sur Banque Nationale	500 @	0,50	250	-6 022
Dividendes reçus sur Power Corp	800 @	0,47	376	-5 646
Dividendes reçus sur Bombardier	600 @	0,10	60	-5 586
Ventes actions Banque Nationale	500 @	14,75	7 154	1 567
Achat actions Ordinateurs Hypocrat	5 000 @	3,00	15 450	-13 883
Achat bons de souscription Banque royale	3 000 @	2,45	7 571	-21 453

Portefeuille	**Juin 1987**		
Valeurs sûres	**Qté**	**Coût à l'achat**	**Valeur au marché**
Emprunt sur marge (9,5%)		-21 453	-21 453
Sous-total		**-21 453**	**-21 453**
Titres supérieurs			
Actions Power Corp.	800	3 996	14 304
Sous-total		**3 996**	**14 304**
Titres de bonne qualité			
Actions ord. Bombardier	600	2 627	7 242
Sous-total		**2 627**	**7 242**
Titres secondaires ou spéculatifs			
Actions ord. Cascades	900	3 096	10 692
Actions ord. Unigesco	800	4 944	3 960
Actions ord. Vidéotron	400	5 562	6 300
Actions Ordinateurs Hypocrat	5 000	15 450	15 000
Bons de souscription Banque royale	3 000	7 571	7 350
Sous-total		**36 623**	**43 302**
Total		**21 793**	**43 395**
Mise de fonds initiale et augmentation depuis 1981 (%)		**10 000**	**333,9**

29. Économie de krach

Puisque nous affirmons que les mouvements boursiers dépendent en réalité des cycles économiques, nous allons jeter un coup d'oeil sur la situation économique mondiale qui entoure le récent krach boursier.

Si l'on se fie à l'ampleur de la débandade des cours, on pourrait s'attendre à trouver les pays industrialisés dans un état lamentable, au bord d'une crise majeure. Or la réalité ne confirme pas ce diagnostic pessimiste.

La principal indicateur de récession, l'inflation, ne manifeste aucun signe de reprise. La progression de l'IPC se maintient aux environs de 2 à 4% aux États-Unis et au Canada, tandis qu'elle approche de zéro en Allemagne et au Japon. Mais alors, ces quatre économies seraient-elles déjà en récession? Voyons un peu.

Le taux de chômage ne progresse nulle part. Au contraire, il s'améliore ou demeure à peu près stable. Les taux d'escompte des banques centrales se situent à des niveaux nettement expansionnistes qui ne laissent présager aucune limite excessive au crédit. Enfin, les produits intérieurs bruts des trois grands de l'économie mondiale progressent au rythme annuel de 5 à 8% en termes réels. L'explication ne se trouve certainement pas parmi ces indicateurs.

En fouillant un peu, on découvre cependant quelques petites anomalies. Deux en particulier. Et qui touchent toutes deux notre voisin du sud, les États-Unis.

La première concerne le déficit commercial américain. Les exportations US stagnent autour de 210 milliards$ par an depuis 1980. Durant la même période, par contre, les importations US sont passées de 250 à plus de 400 milliards$, générant un déficit mensuel de près de 15 milliards$. Ce solde négatif qui se répète et s'amplifie sans cesse crée une saignée de devises US vers l'extérieur. Il faut en effet acheter les yens, les deutch marks et toutes les autres monnaies pour payer les achats à l'étranger. En un mot le pays s'endette face à ses partenaires commerciaux.

Mais ce n'est pas tout. Un autre déficit vient s'ajouter à ce premier. Celui du budget de l'administration fédérale américaine. Un autre 150 à 200 milliards de $US par an, financé en grande partie par les dollars américains détenus par le Japon, par l'Allemagne et par tous les pays qui bénéficient d'un surplus commercial avec ce dépensier partenaire. Les masses de dollar US reviennent donc au pays sous forme d'achat d'obligations, d'actions, de terrains, d'entreprises. Bref, les étrangers sont en train d'acheter l'économie américaine et de la payer à même ses propres dettes!

Pourtant, en période d'expansion, nous savons qu'une saine gestion économique suggère de réduire le déficit budgétaire, soit en augmentant les impôts, soit en diminuant les dépenses. Mais pour diverses raisons, politiques entre autres, la présidence américaine préfère vivre au-dessus de ses moyens et poursuivre l'endettement jusqu'à la limite.

Mais cette limite approche dangereusement. La devise américaine, distribuée sans compter, tend à devenir un objet banal et sans grande valeur. Transigée au taux de 200 à 250 yens par dollar US depuis dix ans, elle se négocie maintenant en dessous de 140 yens et s'effrondre par rapport à toutes les autres grandes monnaies. La loi de l'offre et de la demande s'applique obstinément.

Voilà la clé du krach boursier. Nous pouvons la résumer ainsi:

1. L'économie mondiale en général, et nord-américaine en particulier, connaissent depuis 1984 une période d'expansion contrôlée qui redonne confiance aux investisseurs boursiers. Les profits s'annoncent élevés. Les cours boursiers commencent à enfler.

2. Le déficit commercial américain distribue les dollars US à l'étranger. Une grande partie de ces fonds revient financer l'énorme déficit budgétaire des États-Unis. Il faut bien placer ces liquidités quelque part.

3. Une autre partie des liquidités US à l'étranger est injectée dans les marchés boursiers de New York, Londres, Toronto, Montréal ... Cette arrivée continuelle de capitaux frais pousse les cours à la hausse.

4. De mois en mois, les indices boursiers progressent vers de nouveaux sommets. On assiste, durant la première moitié de 1987, au mouvement de pendule habituel qui caractérise les comportements économiques. Le prix des actions grimpe de manière démesurée, même en tenant compte des anticipations de profits les plus optimistes.

5. A mesure que les déficits chroniques s'accumulent, les experts commencent à réaliser que l'administration américaine devra tôt ou tard stopper l'hémorragie. Plus le temps passe, plus les mesures à prendre feront mal. Une loi oblige d'ailleurs la Présidence des États-Unis à rétablir son équibre budgétaire graduellement au cours des prochaines années. De plus, le déficit commercial ne peut durer éternellement.

6. Pour réduire un déficit budgétaire, il faut soit augmenter les recettes et donc les impôts et les taxes, ou diminuer les dépenses. Dans les deux cas, cela signifie moins d'argent aux mains des consommateurs et moins d'achats au pays et à l'étranger. De plus, les élus américains parlent d'adopter des mesures protectionnistes très contraignantes en vue de réduire les importations.

7. Certains investisseurs prennent peur. Qu'ar-

riverait-t-il si les États-Unis décidaient de rétablir la situation rapidement? Une seule réponse possible: une crise économique mondiale! Et d'une profondeur catastrophique: hausse des taux d'intérêt, ralentissement du commerce mondial, chômage, chute des profits. Le pendule amorce sa course de retour.

8. La suite n'est que routine. D'un maximum de 2 722 à la mi-année, les cours boursiers commencent à s'effriter au rythme de la peur qui s'installe. Quelques coups de semonce en septembre et au début d'octobre. Les taux d'intérêt amorcent effectivement une remontée, rendant les marchés obligataires plus alléchants que ceux des actions. Le déficit commercial des États-Unis demeure hors de contrôle. Des mesures draconiennes risquent de s'appliquer. Le 19 du même mois, la tension a atteint son niveau maximum. La peur s'est transformée en panique, la réaction sera exagérée comme toujours, c'est le krach!

9. Finalement, un dernier mot sur la rapidité sans précédent de la chute boursière du 19 octobre. Elle découle en partie de deux phénomènes majeurs et relativement nouveaux. Le premier réside dans l'extrême fluidité des capitaux. Avec le développement accéléré des échanges internationaux, le monde entier est devenu un immense et unique marché financier. Ouvert le jour à New York, la nuit à Londres et Tokyo. Et inversement. Les capitaux s'y déplacent à la vitesse de la lumière. En quelques heures, les milliards sautent du marché de obligations à celui des actions, puis

ils y retournent aussi vite, au gré de la valse des taux d'intérêt. Comme un liquide dans d'énormes vases communiquants.

Le deuxième facteur qui vient accentuer ces mouvements se situe dans les transactions préprogrammées. Une partie de plus en plus grande des échanges de valeurs mobilières est déclenchée par des ordinateurs programmés pour émettre automatiquement des ordres de vente ou d'achat lorsque certaines conditions de marché se présentent. Le temps qu'un humain les arrête, il est déjà trop tard!

30. L'effondrement

Au cours de l'avant-midi du 19 octobre, les bulletins de nouvelles commencent à parler de krach boursier. Pourquoi s'alarmer? Sûrement quelques investisseurs apeurés qui évoquent la hantise de 1929?

A l'heure du lunch, les manchettes se précisent. Tous les marchés boursiers s'effondrent. En vitesse, nous tentons de joindre notre courtier. Impossible! Les lignes sont saturées. L'attente interminable se poursuit jusqu'en fin de journée.

Le lendemain matin, nous dressons un bilan de la situation. En moins de quatre mois, à partir d'une glissade d'abord modérée, notre portefeuille a subi une dégringolade totale de 62%, passant de 43 395$ à 16 682$.

Rien à dire! Rien à faire! Il est trop tard pour réagir.

Transactions	**19 oct 1987**				
Transactions		**Qté**	**Prix**	**Total $**	**Caisse $**
Aucune transaction					

Portefeuille	**19 octobre 1987**		
		Coût à	**Valeur au**
Valeurs sûres	**Qté**	**l'achat**	**marché**
Emprunt sur marge (9,5%)		-21 453	-21 453
Sous-total		**-21 453**	**-21 453**
Titres supérieurs			
Actions Power Corp.	800	3 996	10 000
Sous-total		**3 996**	**10 000**
Titres de bonne qualité			
Actions ord. Bombardier	600	2 627	4 500
Sous-total		**2 627**	**4 500**
Titres secondaires ou spéculatifs			
Actions ord. Cascades	900	3 096	6 075
Actions ord. Unigesco	800	4 944	3 360
Actions ord. Vidéotron	400	5 562	3 700
Actions Ordinateurs Hypocrat	5 000	15 450	7 500
Bons de souscription Banque royale	3 000	7 571	3 000
Sous-total		**36 623**	**23 635**
Total		**21 793**	**16 682**
Mise de fonds initiale et augmentation depuis 1981 (%)		**10 000**	**66,8**

31. Conclusion

Il nous reste maintenant à conclure. Que nous réserve l'avenir économique et boursier? Que doit faire de ses placements le petit investisseur québécois? Avant de répondre à ces questions, résumons un peu l'aventure que nous venons de vivre.

Nous avons d'abord énoncé quelques-unes des grandes lois qui règlent les activités économiques et financières de notre pays. Nous l'avons fait de façon sommaire et schématisée, en esquissant à peine les institutions qui l'animent et les formes de placements qu'elles offrent.

Notre but visait bien sûr à renseigner et à divertir. Mais nous avons aussi cherché à stimuler l'intérêt du lecteur pour la science économique, à l'inciter à classer l'apprentissage de cette science au même rang que celui des mathématiques ou de la langue. Après tout, ne vivons-nous pas continuellement en situation d'offre et de demande? Confrontés à d'inépuisables désirs et à de frustrantes raretés? Ne vaut-il pas la peine de consacrer plus de temps à la compréhension de ces phénomènes?

Nous avons ensuite soumis l'hypothèse que les cycles boursiers correspondent toujours à des cycles économiques fondamentaux et répétitifs. Pour le démontrer, nous avons traversé, étape par étape, les phases du cycle actuel. Amorcé avec une période de tension extrême, celui-ci a traversé une courte récession, puis s'est dirigé vers la reprise et l'expansion jusqu'à aujourd'hui.

Nous avons finalement traité de l'internationalisation des échanges économiques et de la difficulté de prévoir l'avenir.

Et maintenant, allons-nous oser faire une prédiction sur l'avenir de l'économie? Nous nous contenterons plutôt de l'approche de l'économiste. Et nous ferons une prévision appuyée sur de prudentes hypothèses.

La situation économique générale des grands pays industrialisés est actuellement bonne. Cette affirmation repose sur des faits précis mésurés par des indicateurs fiables. Donc, la probabilité d'une récession à court terme semble écartée.

Cela signifie-t-il que les cours boursiers vont reprendre leur tendance à la hausse? Absolument pas! Le marché des actions fonctionne par anticipation sur un horizon extrêmement variable: parfois un jour, parfois des années. Actuellement, les investisseurs prévoient et même souhaitent une récession. Pour quand? Ils ne le savent pas eux-mêmes. Ce qui importe, c'est qu'ils y croient fermement et qu'ils prennent des mesures en ce sens.

Vivrons-nous bientôt cet événement? En 1989?

1990? La clé réside partiellement chez notre Voisin du sud. Si les États-Unis ne trouvent pas au plus tôt une solution à leur double problème de déficits commercial et budgétaire, ou s'ils le règlent trop rapidement, alors oui! Les chances d'une récession à moyen terme s'accroissent fortement. Et les marchés boursiers continueront leur chute.

Si au contraire les États-Unis, aidés de leurs partenaires commerciaux, appliquent des mesures modérées visant à diminuer graduellement le déficit commercial US, et si la Présidence et le Congrès américains s'entendent pour réduire en douceur le déficit budgétaire, alors nous éviterons probablement la crise.

Les marchés boursiers pourront ainsi reprendre peu à peu confiance car les capitaux seront à nouveau attirés par d'éventuels profits. Mais cela ne se produira que si les investisseurs croient fermement au remède américain. Et à la condition qu'il ne se déclare pas de guerre importante... et qu'aucun autre cataclysme ne vienne bouleverser le déroulement normal des choses.

Que faut-il en conclure? Ceci! A moyen et à long terme, les fluctuations boursières en viennent toujours à correspondre aux cycles économiques. Mais à court terme le jeu des anticipations, des perceptions et des superstitions rend leur comportement totalement imprédictible. De plus, la fluidité internationale des capitaux crée un effet de vase communicant qui accentue les vagues d'entrées et de sorties de fonds entre les divers véhicules de placements. Les marchés des actions et des obligations se voient donc frappés de secousses de plus en plus fortes qui les font ressembler plus à des loteries qu'à des institutions sérieuses et utiles.

Comment un modeste investisseur peut-il survivre dans une pareille jungle? Il n'existe qu'une réponse à cette question: l'adoption d'une stratégie prudente et équilibrée.

Cette stratégie se résume à cinq règles très simples.

1. ***S'instruire avant de s'engager.*** Cela ne doit se limiter pas à se renseigner auprès de ses amis ou d'un conseiller financier. Mais à comprendre au moins sommairement, et par soi-même, le fonctionnement du véhicule de placement qui nous intéresse, ainsi que les grands mouvements économiques qui vont l'influencer. En attendant de remplir cette première condition, il vaut mieux s'en tenir aux comptes bancaires et aux obligations d'épargne.

2. ***Perdre ses illusions.*** On ne devient que très rarement riche en effectuant des placements. Ceux-ci servent bien plus à gérer la richesse acquise par le travail et à la faire fructifier au rythme de la croissance de l'économie. Les espoirs de gains rapides et spectaculaires camouflent des pièges dangereux.

3. ***Savoir limiter ses ambitions.*** Personne ne peut prédire avec exactitude les points de retournement des marchés financiers. Pas même les fonds de placements milliardaires, bénéficiant des conseils des meilleurs gestionnaires de portefeuilles. Inutile, donc, de jouer sa chance jusqu'à la limite supérieure du rendement. Il vaut toujours mieux se retirer six mois avant la fin d'une tendance haussière plutôt que le lendemain d'un krach.

4. ***Equilibrer ses avoirs.*** La meilleure des opportunités de placement ne doit jamais amener un investisseur à y consacrer tous ses avoirs. Un portefeuille équilibré permet de s'assurer sans risque un rendement adéquat en toute période économique.

5. ***Savoir attendre.*** La patience constitue la grande vertu des investisseurs. Il ne faut donc consacrer aux placements que les sommes dont on peut se passer longtemps, de manière à pouvoir attendre sans anxiété le retour inévitable des beaux jours.

32. Le bilan final

Un mois exactement après le krach, le 19 novembre, nous dressons le bilan final de nos opérations boursières.

Au cours des dernières semaines, les rappels de marge nous ont forcé à liquider la plus grande partie de nos titres. Nous ne détenons plus que deux valeurs de qualité, Power Corp. et Bombardier, qui garantissent notre balance de crédit de 1 678$.

Le solde de nos opérations s'élève à 12 744$, soit un gain de 27,4% accumulé sur une période d'un peu plus de six années. Le rendement annuel composé se situe 4,1%. Cela en valait-il vraiment la peine?

Transactions	**Nov 1987**			
Transactions	**Qté**	**Prix**	**Total $**	**Caisse $**
Emprunt sur marge (9,5%)				-21 453
Intérêts payés sur marge			849	-22 302
Vente actions ord. Unigesco	800 @	3,90	3 026	-19 276
Vente actions ord. Vidéotron	400 @	9,75	3 783	-15 493
Vente actions Ordinateurs Hypocrat	5 000 @	1,10	5 335	-10 158
Vente bons de souscription Banque royale	3 000 @	0,85	2 474	-7 684
Vente actions Cascades	900 @	6,88	6 006	-1 678

Portefeuille	**Nov 1987**		
Valeurs sûres	**Qté**	**Coût à l'achat**	**Valeur au marché**
Encaisse		-1 678	-1 678
Sous-total		**-1 678**	**-1 678**
Titres supérieurs			
Actions Power Corp.	800	3 996	10 000
Sous-total		**3 996**	**10 000**
Titres de bonne qualité			
Actions ord. Bombardier	600	2 627	4 422
Sous-total		**2 627**	**4 422**
Titres secondaires ou spéculatifs			
Sous-total		**0**	**0**
Total		**4 945**	**12 744**
Mise de fonds initiale et augmentation depuis 1981 (%)		**10 000**	**27,4**

Définitions

Abri fiscal
Régime de placement permettant à l'investisseur d'obtenir un avantage fiscal

Achat sur marge
Achat par un investisseur d'une valeur mobilière en ne versant qu'une partie du prix, le reste constituant une créance détenue par le courtier (marge)

Acquisition d'une entreprise
Opération par laquelle une entreprise achète une autre entreprise

Acquisition
Opération par laquelle un acheteur devient propriétaire d'un bien ou obtient un service

Actif à court terme
Somme de l'encaisse et des autres actifs rapidement transformables en argent liquide

Actif
Ensemble des biens et créances appartenant à un intervenant économique

Action à dividende cumulatif
Action privilégiée dont les dividendes prévus et non payés s'accumulent et doivent être entièrement versés prioritairement à tout dividende sur les actions ordinaires

Action à dividende non cumulatif
Action privilégiée dont le dividende prévu et non versé n'est pas accumulable

Action à fonds d'amortissement et de rachat
Action privilégiée pour laquelle la compagnie émettrice crée un fonds qui permettra le rachat des actions à des conditions déterminées

Action à taux variable
Action privilégiée dont le dividende varie selon certaines conditions économiques déterminées

Action convertible
Action privilégiée pouvant être convertie en action ordinaire, au gré du détenteur, à des conditions déterminées

Action encaissable par anticipation
Action privilégiée comportant un engagement de la compagnie émettrice à soumettre, à des conditions de prix et de date fixées d'avance, une proposition de rachat que le détenteur peut refuser ou accepter

Action ordinaire
Action dite de classe A, représentant une prise de participation dans une compagnie publique et comportant au moins un droit de vote pour chaque action détenue

Action participante
Action privilégiée donnant droit à une partie des bénéfices nets de la compagnie en sus du dividende prévu

Action privilégiée avec droit de vote
Action privilégiée acquérant un droit de vote au moment où un certain nombre de dividendes n'ont pas été versés

Action privilégiée
Action offrant certains droits et privilèges dont un dividende (non obligatoire) fixé d'avance et payable avant tout dividende sur les actions ordinaires, mais ne comportant pas de droit de vote

Action rachetable
Action privilégiée sujette au rachat au gré de la compagnie émettrice, à des conditions déterminées

Action subalterne
Catégorie d'action ordinaire dite de classe B, comportant un droit de vote inférieur aux actions ordinaires de classe A

Action
Titre représentant une prise de participation dans une compagnie publique

Analyse technique
Analyse d'un grand nombre de statistiques boursières

Avoir des actionnaires
Différence entre l'actif et le passif d'une compagnie par action

Balance commerciale
Solde net de la valeur des importations et des exportations d'un pays avec l'extérieur

Balance des capitaux
Solde net des échanges de capitaux entre un pays et l'extérieur

Balance des paiements
Solde net de l'ensemble des transactions économiques entre un pays et l'extérieur

Banque à charte
Institution financière qui reçoit des dépôts du public et qui les utilise pour réaliser des opérations financières telles que les prêts

Banque centrale
Institution gouvernementale responsable de l'émission de la monnaie et du contrôle du crédit d'un pays

Bas
Prix le plus bas payé pour une valeur mobilière durant une période donnée

Bénéfice net
Gain correspondant à la différence entre les dépenses nécessitées par la production de biens ou de services et les recettes correspondant à leur vente

Bénéfice par action
Ratio établi entre le bénéfice net moins les dividendes privilégiés et le nombre total d'actions ordinaires

Bien durable
Bien dont la consommation s'échelonne sur une période prolongée

Bien non durable
Bien dont la consommation est quasi-immédiate

Bien
Produit matériel résultant de l'activité économique

Bons de souscription (Warrants)
Certificat émis par une compagnie octroyant le droit d'acheter des actions de cette compagnie à un prix donné pour une période d'au moins six mois

Bons du trésor
Engagements à court terme (3 mois, 6 mois, 1 an) des gouvernements vendus à escompte et remboursables au pair

Boom économique
Phase d'expansion économique caractérisée par une très forte croissance de l'offre et de la demande de biens et services

Bourse des valeurs mobilières
Marché où s'effectuent les achats et les ventes de valeurs mobilières

Budget
Etat de prévision des recettes et des dépenses d'un gouvernement ou d'une société

Caisse de dépôt et de placement
Société provinciale québécoise qui gère les fonds déposés par certaines régies gouvernementales

Caisse de retraite
Fonds de placement qui gère les dépôts de ses participants en vue d'effectuer des versements lors de la retraite, d'une invalidité ou d'un décès

Caisse populaire
Institution d'épargne et de prêt formée par des groupes d'individus partageant des intérêts communs

Chômage
Incapacité d'un individu désireux et apte à travailler à se trouver un emploi

Commerce extérieur
Échange de biens entre deux pays

Commerce international
Ensemble des échanges économiques entre les pays

Commission
Rémunération payée par un investisseur à un courtier pour effectuer des transactions sur les valeurs mobilières

Compagnie d'assurance
Société qui offre une protection contre certains risques en regroupant les cotisations de ses adhérents pour couvrir les pertes occasionnées par un sinistre imprévisible

Compagnie publique
Compagnie dont les actions se transigent à la bourse des valeurs mobilières

Conjoncture économique
Éléments explicatifs de la situation d'une économie

Correction boursière
Mouvement brusque de prise de profit par les investisseur boursiers

Cours
Prix offert et prix demandé par les investisseurs pour une valeur mobilière sur le marché

Courtier à escompte
Courtier en valeurs mobilières dont l'activité se limite à servir d'intermédiaire entre les acheteurs et les vendeurs de valeurs mobilières

Courtier en valeurs mobilières
Maison d'affaires qui, contre rémunération, offre des informations et des conseils aux investisseurs et qui sert d'intermédiaire entre les acheteurs et les vendeurs de valeurs mobilières

Créance
Montant que l'on doit à une institution prêteuse

Crédit
Délai pour le paiement d'un achat ou le remboursement d'une dette

Cycle économique de Kondratiev
Cycle économique de très longue durée (40 à 50 ans)

Cycle économique
Suite de phénomènes économiques se produisant dans un ordre déterminé, sur une période de temps plus ou moins longue. Les phases caractéristiques d'un cycle économique sont l'expansion, la tension, la récession et la reprise

Debenture
Titre de créance émis par les gouvernements, les corporations municipales, les compagnies et diverses institutions, ne comportant pas de garantie sur les éléments d'actif de l'émetteur

Demande
Quantité d'un bien ou d'un service qui peut être achetée sur le marché à un prix donné

Dette à long terme
Élements du passif ne pouvant devenir exigibles immédiatement

Dette publique
Ensemble des engagements financiers d'un pays

Dette
Engagement contracté à l'égard d'un tiers pour lequel la dette constitue une créance

Déficit budgétaire
Excédent des dépenses sur les recettes d'un gouvernement

Déficit commercial
Excédent des importations sur les exportations d'un pays

Dépôt à terme
Dépôt qui ne peut être retiré sans un avis déterminé

Dépôt à vue
Dépôt qui peut être retiré sans aucun délai

Dépression économique
Phase de récession économique caractérisée par une très forte baisse de l'offre et de la demande de biens et services

Dévaluation
Baisse de la valeur de la monnaie d'un pays par rapport aux monnaies d'autres pays

Dividende
Part des bénéfices d'une compagnie versée à chaque actionnaire en argent ou en actions

Dollars constants
Mesure d'un phénomène économique exprimée selon la valeur de la monnaie à une année de référence donnée

Dollars courants
Mesure d'un phénomène économique exprimée selon la valeur courante de la monnaie

Dow-Jones industriel
Indice de la bourse de New York représentant la moyenne arithmétique des cours de trente titres industriels majeurs

Droits de souscription (Rights)
Droit consenti à un propriétaire d'actions d'acquérir d'autres actions additionnelles directement de la compagnie, et à un prix inférieur au prix du marché (les droits peuvent se transiger en bourse)

Effet de commerce
Écrit négociable reconnaissant une créance d'un montant donné et négociable à court terme

Escompte
Excédent de la valeur nominale d'un titre par rapport à son cours boursier

Expansion économique
Phase d'un cycle économique durant laquelle la demande et l'offre de biens et services augmentent régulièrement

Exportations
Vente à un pays étranger de biens produits dans un autre pays

Fermeture
Prix payé pour une valeur mobilière lors de la dernière transaction d'une période donnée

FERR
Fonds Enregistré de Revenus de Retraite, abri fiscal

Fonds de placement
Société de placement à capital fixe qui effectue des investissements au nom des individus qui leur confient des sommes d'argent

Fonds de roulement
Différence entre l'actif à court terme et le passif à court terme

Fonds mutuel
Société de placement à capital variable qui effectue des investissements au nom des individus qui leur confient des sommes d'argent

Gain en capital
Profit réalisé sur la vente d'un bien ou d'une valeur mobilière

Haut
Prix le plus haut payé pour une valeur mobilière durant une période donnée

Hypothèque
Objet appartenant à un débiteur et mis en garantie pour assurer une dette

Importations
Achat par un pays de biens produits dans un autre pays

Indicateur économique avancé
Indice dont la variation précède et annonce l'arrivée d'une phase d'un cycle économique

Indicateur économique
Mesure de l'évolution d'un segment donné de l'économie

Indice boursier
Indice représentant la valeur moyenne du cours de certaines valeurs mobilières

Indice des prix à la consommation
Indice mesurant l'évolution des prix des biens et services courants que doit se procurer un ménage, par rapport à une année de référence

Inflation conjoncturelle
Inflation liée aux cycles économiques et qui provoque à moyen terme un ajustement de l'offre à la demande

Inflation galopante
Inflation très élevée et hors de tout contrôle

Inflation rampante
Inflation lente et progressive qui ne provoque pas de bouleversements économiques majeurs

Inflation temporaire
Inflation qui se produit à cause d'un déséquilibre temporaire entre l'offre et la demande

Inflation
Phénomène de gonflement des prix qui résulte d'un déséquilibre entre l'offre et la demande de biens et services dans une économie

Intérêt
Prix payé par un emprunteur à un prêteur pour la jouissance d'une somme d'argent durant une période donnée

Krach boursier
Baisse brusque et prononcée des cours boursiers

Libre échange
Suppression totale ou partielle des restrictions au commerce extérieur entre deux ou plusieurs pays

Logements mis en chantier
Nombre total de logements dont la construction a débuté au cours d'une période donnée

Marché baissier (Bear Market)
Baisse régulière des cours boursiers sur une période donnée

Marché haussier (Bull Market)
Augmentation régulière de l'ensemble des cours boursiers sur une période donnée

Marché hypothécaire
Marché sur lequel se négocient des créances garanties par hypothèque

Marché monétaire
Marché des fonds à court terme entre les institutions financières

Marchés financiers
Lieux d'échange des valeurs mobilières

Marge brute d'autofinancement
Somme du bénéfice net et des dépenses n'entraînant pas de sortie de fonds

Marge de profit net
Ratio établi entre le bénéfice net et les ventes nettes

Marge
Créance détenue par un courtier contre un investisseur pour l'achat de valeurs mobilières que le courtier conserve en garantie

Masse monétaire
Somme de la monnaie et de la quasi-monnaie en circulation dans une économie

Micro-économie
Etude du comportement et du fonctionnement des éléments individuels d'une économie (particulier, ménage, famille, entreprises ...)

Micro-économie
Etude du comportement et du fonctionnement des grands ensembles constituant une économie (gouvernements, investissements, indicateurs globaux ...)

Monnaie
Ensemble des moyens de régler les transactions entre les intervenants économiques

Niveau de vie
Ensemble des biens et services que peuvent se procurer les groupes d'individus grâce à leur revenu

NYSE (New York Stock Exchange Composite Index)
Indice représentant tous les titres inscrits à la bourse de New York, pondérés selon la valeur marchande de la capitalisation

Obligation d'épargne
Obligation émise par les gouvernements, encaissable en tout temps

Obligation
Titre de créance négociable émis par les gouvernements, les corporations municipales, les compagnies et diverses institutions, comportant une garantie sur les éléments d'actif de l'émetteur et offrant un intérêt à l'acheteur

Obligations ordinaires des gouvernements
Obligations négociables émises par les gouvernements, comportant une échéance de remboursement et un taux d'intérêt fixe jusqu'à l'échéance

Offre
Quantité d'un bien ou d'un service qui peut être vendue sur le marché à un prix donné

Options d'achat
Droit d'acheter pendant une période de temps donnée, un nombre déterminé de valeurs mobilières à un prix fixé par l'option

Options de vente
Droit de vendre pendant une période donnée, un nombre déterminé de valeurs mobilières à un prix fixé par l'option

Options sur action
Droit de vente ou d'achat portant sur 100 actions de la compagnie sous option

Options sur devises
Options portant sur l'achat ou la vente de devises

Options sur indices boursiers
Options portant sur l'achat ou la vente d'indices boursiers

Options sur l'or
Options portant sur l'achat ou la vente de 10 onces troy d'or

Options sur obligations
Options portant sur l'achat ou la vente d'obligations

Options
Droit consenti à son détenteur de vendre ou d'acheter une quantité de valeurs mobilières à un prix déterminé pour une période donnée n'excédant pas une année

Ordre au marché ou mieux
Commande passée à un courtier de vendre ou d'acheter des valeurs mobilières au prix en vigueur sur le marché

Ordre à cours limité
Commande passée à un courtier de vendre ou d'acheter des valeurs mobilières à un prix donné

Ordre de bourse
Commande passée par un investisseur à un courtier de vendre ou d'acheter des valeurs mobilières à des conditions déterminées

Ordre de vente "stop"
Commande passée à un courtier de vendre des valeurs détenues par un investisseur si le prix de ces valeurs chute en-deçà d'un niveau déterminé

Ordre Ouvert
Commande passée à un courtier et qui demeure valable tant qu'elle n'est pas réalisée

Ordre valable d'un jour
Commande passée à un courtier et qui s'annulera si elle n'est pas réalisée le jour même

Passif à court terme
Dettes à court terme pouvant devenir exigibles immédiatement

Passif
Ensemble des dettes et des engagements d'un intervenant économique

Perte en capital
Perte réalisée sur la vente d'un bien ou d'une valeur mobilière

Pertes
Excédent des dépenses sur les recettes

Placement
Valeur mobilière détenue par un investisseur

Plein emploi
Situation économique où la quasi-totalité de la population active occupe un emploi

Politique fiscale
Façon dont un gouvernement ajuste ses revenus et ses dépenses de manière à influencer les cycles économiques

Politique monétaire
Façon dont un gouvernement contrôle la masse monétaire d'un pays

Politique
Ensemble des pratiques, faits, institutions et déterminations d'un gouvernement

Population active
Nombre de personnes aptes et désireuses de travailler

Portefeuille de placements
Ensemble des valeurs mobilières détenues par un investisseur

Prime
Excédent du cours boursier d'un titre par rapport à sa valeur nominale

Prise de profit
Vente d'une valeur mobilière dont le cours permet de réaliser un gain de capital

Prix
Valeur marchande d'un bien ou d'un service

Produit intérieur
Mesure de la valeur de l'ensemble des biens et services produits sur le territoire d'un pays au cours d'une période donnée

Quasi-monnaie
Ensemble des moyens qui facilitent la transformation des dépôts à terme en monnaie

Rappel de marge
Obligation pour un investisseur, à la suite de la baisse du cours d'une valeur mobilière qu'il a achetée sur marge, de rembourser sa marge totalement ou en partie

Ratio cours-bénéfices
Ratio établi entre le cours d'une action et le bénéfice par action

Ratio d'endettement
Ratio établi entre la dette à long terme d'une compagnie et l'avoir des actionnaires

REAQ
Régime Enregistré d'Epargne-Action du Québec, abri fiscal

REER
Régime Enregistré d'Epargne-Retraite, abri fiscal

Rendement
Revenu retiré du capital investi

Reprise économique
Phase d'un cycle économique durant laquelle l'équilibre se rétablit entre l'offre et la demande de biens et services

Récession économique
Phase d'un cycle économique durant laquelle l'offre de biens et services baisse pour s'ajuster à la demande

Réévaluation
Accroissement de la valeur de la monnaie d'un pays par rapport aux monnaies d'autres pays

RPDB
Régime de Participation Différée aux Bénéfices, abri fiscal

RPTI
Régime de Placement en Titres Indexés, abri fiscal

Service
Satisfaction d'un besoin économique autrement que par un bien matériel

Société centrale d'hypothèques et de logement
Institution gouvernementale fédérale ayant pour mission le développement domiciliaire au Canada

Société de crédit à la consommation
Sociétés qui consentent du crédit à tempérament ou qui financent des ventes à tempérament

Société de fiducie
Institution spécialisée dans l'administration de biens pour le compte des autres

Société générale de financement
Société parapublique québécoise dont la mission consiste à favoriser le développement économique du Québec

SP500 (Standard & Poor's 500)
Indice de la bourse de New York représentant 500 valeurs inscrites, dont 400 industrielles, 20 transports, 40 services publics et 40 institutions financières

Surplus budgétaire
Excédent des recettes sur les dépenses d'un gouvernement

Surplus commercial
Excédent des exportations sur les importations d'un pays

Taux d'escompte central
Taux d'escompte d'un banque centrale

Taux d'escompte
Taux auquel les institutions financières s'échangent les effets de commerce

Taux de change
Rapport entre la valeur des monnaies de deux pays

Taux de chômage
Rapport entre le nombre de personnes en chômage et la population active

Taux de rendement
Ratio établi entre le rendement et le capital investi, pour une période donnée

Taux préférentiel
Taux consenti par les banques à leurs meilleurs clients

Tension économique
Phase d'un cycle économique durant laquelle la demande de biens et services croît moins rapidement que l'offre

Transaction à escompte
Vente ou achat d'un titre à un cours inférieur à sa valeur nominale

Transaction à prime
Vente ou achat d'un titre à un cours supérieur à sa valeur nominale

Transactions préprogrammées
Transactions boursières qui s'effectuent automatiquement lorsque des conditions préétablies interviennent

TSE300
Indice représentant 300 titres représentatifs de tous les secteurs de l'activité économique, inscrits à la bourse de Toronto

Valeur au pair
Egalité entre la valeur nominale et le cours boursier d'un titre

Valeur comptable par action
Ratio établi entre l'avoir des actionnaires d'une compagnie et le nombre d'actions en circulation

Valeur mobilière
Titre négociable représentant la valeur d'une participation ou une créance

Valeur nominale
Valeur inscrite sur une monnaie, un effet de commerce ou une valeur mobilière

Ventes au détail
Somme des ventes de tous les magasins de détail au cours d'une période donnée

XCB
Indice bancaire canadien représentant six banques inscrites à la bourse de Montréal

XCF
Indice canadien des produits forestiers représentant 5 titres forestiers inscrits à la bourse de Montréal

XCI
Indice canadien des biens d'équipement représentant 8 titres inscrits à la bourse de Montréal

XCM
Indice canadien des mines et métaux représentant 8 titres inscrits à la bourse de Montréal

XCO
Indice canadien des hydrocarbures représentant 11 titres inscrits à la bourse de Montréal

XCU
Indice canadien des services publics représentant 8 titres inscrits à la bourse de Montréal

XXM
Indice canadien du marché représentant 25 titres majeurs inscrits à la bourse de Montréal

Statistiques

Indice des prix à la consommation 1980=100				
Année	Canada	Etats-Unis	Japon	Allemagne
1977	76,3	73,5	86,1	88,8
1978	83,1	79,1	89,4	91,3
1979	90,7	88,2	92,7	95,0
1980	100,0	100,0	100,0	100,0
1981	112,4	110,3	104,9	106,1
1982	124,7	117,1	107,7	111,9
1983	131,9	120,9	109,7	115,6
1984	137,6	126,1	112,1	118,4
1985	143,1	130,5	114,4	121,0
1986	148,9	133,1	115,2	120,7
Source: Bulletin mensuel de statistiques de l'O.N.U.				

Indice des prix à la consommation (% annuel)				
Année	Canada	Etats-Unis	Japon	Allemagne
1978	8,9	7,6	3,8	2,7
1979	9,2	11,5	3,6	4,1
1980	10,2	13,4	7,9	5,3
1981	12,5	10,4	4,9	6,1
1982	10,9	6,1	2,7	5,4
1983	5,8	3,2	1,8	3,3
1984	4,3	4,3	2,2	2,4
1985	4,0	3,5	2,1	2,2
1986	4,1	2,0	0,7	-0,2
Source: Bulletin mensuel de statistiques de l'O.N.U.				

Taux de chômage				
Année	Canada	Etats-Unis	Japon	Allemagne
1977	8,1	7,0	2,0	4,6
1978	8,4	6,0	2,2	4,5
1979	7,5	5,8	2,1	4,3
1980	7,5	7,1	2,0	3,8
1981	7,5	7,6	2,2	5,5
1982	11,0	9,7	2,4	7,5
1983	11,9	9,6	2,6	9,1
1984	11,3	7,5	2,7	9,1
1985	10,5	7,2	2,6	9,3
1986	9,6	7,0	2,8	9,0
Source: Bulletin mensuel de statistiques de l'O.N.U.				

Exportations (en Millions $US)				
Année	Canada	Etats-Unis	Japon	Allemagne
1977	41 876	119 005	80 493	118 070
1978	46 569	141 228	97 544	142 454
1979	56 055	178 798	103 045	171 799
1980	64 959	216 672	129 248	192 930
1981	70 018	233 739	152 016	176 043
1982	68 496	212 275	138 911	176 428
1983	73 514	200 538	146 668	169 425
1984	86 729	217 888	170 107	169 784
1985	87 479	213 146	175 683	183 406
1986	86 725	217 304	209 153	242 411
Source: Bulletin mensuel de statistiques de l'O.N.U.				

Importations (en Millions $US)				
Année	Canada	Etats-Unis	Japon	Allemagne
1977	39 808	156 758	70 797	101 430
1978	43 869	184 684	79 430	121 751
1979	53 687	220 958	110 670	159 618
1980	59 104	255 643	140 520	188 001
1981	66 303	273 352	143 288	163 934
1982	55 035	254 884	131 932	155 856
1983	61 343	269 878	126 392	152 899
1984	73 705	341 177	136 522	151 246
1985	76 413	361 626	129 480	157 645
1986	81 099	387 081	126 408	189 484
Source: Bulletin mensuel de statistiques de l'O.N.U.				

Balance commerciale (en Millions $US)				
Année	Canada	Etats-Unis	Japon	Allemagne
1977	2 068	-37 753	9 696	16 640
1978	2 700	-43 456	18 114	20 703
1979	2 368	-42 160	-7 625	12 181
1980	5 855	-38 971	-11 272	4 929
1981	3 715	-39 613	8 728	12 109
1982	13 461	-42 609	6 979	20 572
1983	12 171	-69 340	20 276	16 526
1984	13 024	-123 289	33 585	18 538
1985	11 066	-148 480	46 203	25 761
1986	5 626	-169 777	82 745	52 927
Source: Bulletin mensuel de statistiques de l'O.N.U.				

Cours des changes (valeur du $US)				
Année	Canada $Can	Etats-Unis $US	Japon Yen	Allemagne D Mark
1977	1,094	1,000	240,000	2,105
1978	1,186	1,000	194,600	1,828
1979	1,168	1,000	239,700	1,731
1980	1,195	1,000	203,000	1,959
1981	1,186	1,000	219,900	2,255
1982	1,229	1,000	235,000	2,376
1983	1,244	1,000	232,200	2,724
1984	1,321	1,000	251,100	3,148
1985	1,397	1,000	200,500	2,461
1986	1,380	1,000	159,100	1,941
Source: Bulletin mensuel de statistiques de l'O.N.U.				

Cours des actions industrielles (1980=100)				
Année	Canada	Etats-Unis	Japon	Allemagne
1977	46,2	80,6	79,5	103,2
1978	50,6	78,9	86,9	108,2
1979	73,3	85,4	94,9	104,6
1980	100,0	100,0	100,0	100,0
1981	97,4	107,2	116,3	100,4
1982	76,8	99,3	115,8	99,0
1983	114,4	134,2	136,5	133,5
1984	110,2	134,7	172,1	150,4
1985	130,5	154,5	210,2	199,9
1986	143,9	194,9	279,2	270,4
Source: Bulletin mensuel de statistiques de l'O.N.U.				

Taux d'escompte des banques centrales (fin d'année)				
Année	Canada	Etats-Unis	Japon	Allemagne
1977	7,5	6,0	4,3	3,0
1978	10,8	9,5	3,5	3,0
1979	14,0	12,0	6,3	6,0
1980	17,3	13,0	7,3	7,5
1981	14,7	12,0	5,5	7,5
1982	10,3	8,5	5,5	5,0
1983	10,0	8,5	5,0	4,0
1984	10,2	8,0	5,0	4,5
1985	9,5	7,5	5,0	4,0
1986	8,5	5,5	3,0	3,5
Source: Bulletin mensuel de statistiques de l'O.N.U.				

Produit intérieur brut (en milliards)				
Année	Canada $Can	Etats-Unis $US	Japon Yen	Allemagne D Mark
1977	217,9		184 460,0	1 200,5
1978	241,6	2 145,7	204 405,0	1 285,3
1979	276,1	2 388,4	221 546,0	1 392,3
1980	309,9	2 606,6	240 177,0	1 478,9
1981	356,0	2 934,9	257 364,0	1 540,9
1982	374,4	3 045,3	269 628,0	1 597,9
1983	405,7	3 275,7	280 256,0	1 674,8
1984	445,6	3 634,6	297 947,0	1 754,3
1985	479,4		316 114,0	1 839,9
Source: Bulletin mensuel de statistiques de l'O.N.U.				

Produit intérieur brut (en milliards constants)				
Année	Canada $Can 1981	Etats-Unis $US 1975	Japon Yen 1980	Allemagne DM 1980
1977	311,5	1 742,0	207 989,3	1 357,2
1978	325,8	1 784,3	204 405,0	1 285,3
1979	338,4	1 830,5	221 546,0	1 392,3
1980	343,4	1 822,5	240 177,0	1 478,9
1981	356,0	1 884,6	257 364,0	1 540,9
1982	344,5	1 828,5	269 628,0	1 597,9
1983	355,4	1 882,3	280 256,0	1 674,8
1984	377,8	2 017,1	297 947,0	1 754,3
1985	393,8		316 114,0	1 839,9
Source: Bulletin mensuel de statistiques de l'O.N.U.				

Produit intérieur brut (% de croissance)				
Année	Canada	Etats-Unis	Japon	Allemagne
1978	4,6	2,4	-1,7	-5,3
1979	3,9	2,6	8,4	8,3
1980	1,5	-0,4	8,4	6,2
1981	3,7	3,4	7,2	4,2
1982	-3,2	-3,0	4,8	3,7
1983	3,2	2,9	3,9	4,8
1984	6,3	7,2	6,3	4,7
1985	4,2		6,1	4,9
Source: Bulletin mensuel de statistiques de l'O.N.U.				

Bibliographie

Analyse micro-économique
C. René Dominique
P. U. L., 1987

L'analyse technique
Charles Langford
Bibliothèque Finance, 1986

La bourse, c'est facile
Alain Kradolfer
Bibliothèque Finance, 1987

Comment réduire vos impôts
Johanne Leduc-Dallaire
Editions Héritage inc.

L'Économique
Émile Bouvier
Guérin, 1972

L'Économique
Paul Samuelson
Paris, Colin, 1964

L'Économique
Rodrigue Tremblay
Holt, 1969

Guide du marché des options
Bourse de Montréal, 1976

Initiation aux valeurs mobilières
Gérard Bérubé
Bibliothèque Finance, 1986

Marché obligataire et taux d'intérêt
Guy Mercier et Fawzi Rassi
P. U. L., 1987

Monnaie, banque et crédit au Canada
Gilles Labrecque
P. U. L., 1983

Précis d'économie internationale
Roger Dehem
P. U. L., 1982

Les options
Charles Langford
Bibliothèque Finance, 1986

Le placement: termes et définitions
Institut canadien des valeurs mobilières, 1980

CHEZ LOUISE COURTEAU, ÉDITRICE INC.

MUSIQUE

La petite histoire de l'O.S.M.
Agathe de Vaux
«À l'occasion du 50eme anniversaire de l'O.S.M., un livre passionnant sur l'histoire et les petites histoires de l'Orchestre Symphonique de Montréal, abondamment illustré de photos anciennes et récentes.»
192 pages

Les gestes et la pensée du pianiste
Paul Loyonnet
«Ce livre est le testament pianistique de celui qui fut l'un des plus grands artistes du siècle. Un outil absolument indispensable pour tous les pianistes, illustré de photos sur la position des mains et de nombreux exemples musicaux.»
228 pages

Tristan et Iseut
de Richard Wagner
Traduit et adapté par Jean Marcel
Illustrations de Mikie Assif
Préface de Charles Dutoit
74 pages

Tristan et Iseut
Édition de luxe en coffret estampé or
Exemplaires numérotés de 1 à 100 signés par les auteurs
74 pages
(Vendu exclusivement par la maison d'édition)

Les 24 études de Chopin
Monique Deschaussées
«Après avoir évoqué le climat poétique de chaque étude, Monique Deschaussées analyse tous les problèmes physiques inhérents à l'écriture de Chopin et donne à chaque fois les moyens de résoudre les difficultés les plus ardues afin de pouvoir enchaîner les 24 études sans aucun problème.»
162 pages

Serge Garant et la révolution musicale au Québec
Marie-Thérèse Lefebvre
Biographie et anthologie des écrits (de 1954 à 1984) de l'un des plus fameux compositeurs canadiens du XXeme siècle: Serge Garant.

ESSAI

Le joual de Troie
Jean Marcel
«Pour ceux qui enseignent le français, un pamphlet passionnant et percutant».
(Prix France-Québec Jean-Hamelin 74)
358 pages

Les médisances d'un professeur solidaire
Viateur Beaupré
«L'auteur donne son avis sur l'enseignement, les syndicats d'enseignements et le gouvernement».
196 pages

Poètes ou imposteurs ?
Michel Muir
«L'auteur dénonce l'imposture de l'écriture poétique de certains écrivains publiés par les Herbes Rouges dans les années 70».
176 pages

Plaidoyer pour une parole vivante
Michel Muir
«L'auteur estime que l'Homme et la Femme réclament une nourriture spirituelle qui, sur le plan esthétique, exige des structures établies par un effort soutenu. Ennemi de la médiocrité, Muir proclame la nécessité d'un redressement individuel».
140 pages

Nelligan n'était pas fou
Bernard Courteau
«Mort dans une institution psychiatrique, le poète Émile Nelligan n'était pourtant pas fou. Que lui est-il donc arrivé? Qui avait intérêt à ce que Nelligan passe pour un fou? Toute la vérité sur la santé mentale du poète, presque 50 ans après son décès».
162 pages

Le cosmos intérieur
André Moreau
«25ième livre de Moreau. L'auteur force les frontières qui résistent encore à l'assaut de l'esprit. Moreau ose, malgré les interdits, les menaces, les rejets; Moreau ose enfin JUGER après 20 siècles d'obéissance passive».
640 pages

Alcool pour non-buveur
André Moreau
Sur le ton mordant qu'on lui connaît, André Moreau raconte ici ce qui motive le plaisir de ne plus boire quand on a bu pour vrai. Une soif frustrée ne peut être la source d'une satisfaction profonde: s'il faut cesser de boire, alors que ce soit par plaisir.
192 pages

Traité de psychiatrie sociale
Daniel Bélec/Claude Gendreau
«Les auteurs élaborent un concept de base; la dialectique fusion-individuation. Elle ouvrira un accès plus global à l'écologie humaine: mentalisation et diffusion à l'autre. Le traité explore cette gestalt à travers ses aspects affectifs (médiatisation), cognitifs (pulsion mimétique et espace polarisé), somatiques (concrétude et imprégnation). La base conceptuelle permet de nombreuses applications».
192 pages

La plénitude du vide
Jean Bouchart d'Orval
«Le Vide est la réalité ultime de toute chose, de toute forme et de toute expérience. Tout ce qui commence et finit vient du Vide et retourne à lui. C'est donc dire que, loin d'être néant, il est la source de toute vie, qu'il est la Vie totale en chacun».
248 pages

La régie du logement à découvert
Claude Thomasset
Ce livre constitue un précédent destiné à faire connaître au grand public le fonctionnement précis de la Régie du Logement, organisme administratif important, chargé d'arbitrer les problèmes de logement rencontrés quotidiennement par une grande partie de la population. Elle aboutit à des recommandations suggérant les moyens à prendre pour assurer une plus grande accessibilité à ce tribunal et une meilleure protection des droits des parties.
288 pages

ÉSOTÉRISME

Contact 158
François Bourbeau
«La saisissante histoire de MonsieurX, contacté par des extra-terrestres. Une enquête de François Bourbeau.»
204 pages

Chère Michelle
Hilarion
«Hilarion est un être spirituel situé à un niveau beaucoup plus élevé que le nôtre. Maurice B. Cooke a servi de canal de transmission entre lui et le lecteur. Un livre qui doit être mis entre les mains de tous les jeunes.»
58 pages

Les âges de l'esprit
Hilarion
«Certains anthropologues soutiennent que l'humanité existait bien avant que l'Histoire ne s'écrive. Ce livre offre d'étonnantes révélations à ce sujet.»
138 pages

Vivre, un métier qui s'apprend
Jean-Louis Victor
«Dans un livre à la portée de tous, apprenons le tout premier métier du monde: Celui de vivre...»
86 pages

La réincarnation dévoilée
Jean-Louis Victor
«Le rôle et l'importance de la réincarnation.»
206 pages

Le grand monarque, messager du verseau
Maurice Poulin
«L'auteur a découvert les clés de l'œuvre de Nostradamus concernant le Québec. Des révélations saisissantes qui nous concernent tous.»
240 pages

Le retour des Atlantes
Claude-Gérard Sarrazin
«En lisant ce roman intiatique, il est possible que des souvenirs de l'Atlantide surgissent en vous.»
158 pages

Êtes-vous Atlante?
Claude-Gérard Sarrazin
«Les dépositaires des derniers secrets de l'Atlantide se sont déjà réunis et leurs souvenirs ont permis de préparer cet ouvrage intiatique. Ce livre vise à réveiller l'énergie de pouvoirs spirituels latents.»
232 pages

Le livre du Tarot
Kris Hadar
«La clé de l'évolution de l'homme contenue dans le Tarot de Marseille est maintenant retrouvée et LE LIVRE DU TAROT apporte des connaissances encore inédites..»
240 pages

La conspiration cosmique
Stan Deyo
«L'auteur traite du phénomène OVNI comme aucun ne l'a fait avant lui; un livre qui dévoile l'énorme machination qui nous frappe à l'échelle mondiale. Après la lecture de ce livre, vous aurez en main toutes les armes pour déjouer la Conspiration Cosmique.
CE LIVRE EST UNE BOMBE!»
328 pages

SPIRITUALITÉ

Du reflet à l'amour
Madeleine Vilaudy
«Textes de réflexions sur le Grand Principe de l'Amour.»
112 pages

DOSSIERS

Le pivot
Bernard le Régent
«Pour bien saisir les enjeux de la réforme scolaire.»
64 pages

Donald Lavoie, tueur à gages
Carole de Vault et Richard Desmarais
«La fascinante histoire de l'un des criminels les plus connus du Québec, racontée par deux journalistes qui ont assisté à tous les procès de l'affaire Dubois.»
236 pages

L'Éthiopie se meurt mais renaîtra
Francine Dufresne
«Au retour d'un voyage dans une Éthiopie sinistrée, l'auteure exhale sa révolte et rugit devant ce génocide qui crève les yeux.»
94 pages

Misez mieux à la loterie
Éric Martin
«Comment mieux miser à la loterie et augmenter ses chances de gagner...»
92 pages

Jean C. Lallemand raconte
Bertrand Vac
«Millionnaire à sa naissance, Jean C. Lallemand a dispensé ses largesses à de nombreux artistes du monde littéraire et musical. Il a reçu les plus grands de ce monde. Ses souvenirs sont racontés avec humour.»
328 pages

ROMANS

Les noces de Bec-en-Or
Maurice-Hilaire Jean-Gilles
«Dans son pays, Bec-en-Or fut une légende de son vivant. Le premier roman d'un auteur martiniquais.»
292 pages

Aimée, mon enfant, mon amour
François Bilodeau
«Témoin de la mort de sa fillette de 3 ans et demi, Françoise Decourcy se réfugie dans l'ivresse de la folie. Une profonde réflexion pour celles qui souffrent encore d'avoir trop aimé.»
110 pages

Le secret du Mesa-Verde
Jacques-Laurent Marchand
Deux éminents scientifiques se rencontrent dans le territoire Navajo du sud-ouest américain. Sous l'influence du désert, une impulsion mystérieuse transforme leur comportement et leurs façons d'agir. Ils accèdent à un autre niveau de perception. Quelle est donc cette force qui les pousse malgré eux? Vers quel destin veut-on les diriger avec autant d'insistance? Cette quête deviendra leur plus grand désir.
388 pages

POÉSIE

Cantata pro amabile
Gilles des Marchais

La Pologne comme en nous-mêmes
Pierre Mathieu

Cri... lumière
Pierre Mathieu

Le temps et l'espace
Misupa

Le rituel de l'éblouissement
Michel Muir
Michel Muir se consacre à la recherche palpitante du meilleur de soi et des autres. Il unit le corps et l'âme en des épousailles occultes. À titre d'enfant du ciel et conscient de ses origines étoiliques, il n'a de cesse de glorifier le Beau, le Bien, le Vrai.
146 pages

Voyage de nuit
Zacharie Richard
Zacharie Richard, chanteur populaire connu de tous, présente la poésie rythmée d'un musicien, la poésie imagée d'un rêveur, la poésie douce d'un homme de cœur, la poésie chaleureuse d'un enfant d'Acadie tropicale.
114 pages

Le feu en joue
Richard deBessonnet
La poésie et le poète de ce recueil sont à la fois Québécois et créole, natif et métissé, un mélange de soleil et de neige, une collaboration intime entre la Louisiane et le Québec.
84 pages

Achevé d'imprimer
en décembre 1987 sur les presses
des Ateliers Graphiques Marc Veilleux Inc.
Cap-Saint-Ignace, Qué.